prima A1

Deutsch für Jugendliche

Band 1

Friederike Jin
Lutz Rohrmann
Milena Zbranková

prima A1 / Band 1
Deutsch für Jugendliche

Im Auftrag des Verlages erarbeitet von
Friederike Jin, Lutz Rohrmann und Milena Zbranková

Projektleitung: Gunther Weimann
Redaktion: Lutz Rohrmann und Jitka Staňková

Beratende Mitwirkung: Jarmila Antošová, Panagiotis Gerou, Violetta Katiniene, Vija Kilblocka, Grammatiki Rizou, Ildiko Soti

Illustrationen: Lukáš Fibrich
Bildredaktion: Věra Frausová
Layoutkonzept: Milada Hartlová
Layout und technische Umsetzung: Milada Hartlová
Umschlaggestaltung: werkstatt für gebrauchsgrafik, Berlin

Weitere Begleitmaterialien:
Arbeitsbuch mit Audio-CD: ISBN 978-3-06-020052-8
Audio-CD zum Schülerbuch: ISBN 978-3-06-020066-5
Handreichungen für den Unterricht: ISBN 978-3-06-020039-9
Video-DVD: ISBN 978-3-06-020200-3
Testheft mit Audio-CD: ISBN 978-3-06-020078-8

www.cornelsen.de

1. Auflage, 8. Druck 2014

Alle Drucke dieser Auflage sind inhaltlich unverändert und können im Unterricht nebeneinander verwendet werden.

© 2007 Cornelsen Verlag, Berlin
© 2013 Cornelsen Schulverlage GmbH, Berlin

Druck: Firmengruppe APPL, aprinta Druck, Wemding

ISBN 978-3-06-020051-1

PEFC zertifiziert
Dieses Produkt stammt aus nachhaltig bewirtschafteten Wäldern und kontrollierten Quellen
PEFC/04-32-0928   www.pefc.de

Das ist prima

prima 1 ist der erste Band eines Deutschlehrwerks für Jugendliche ohne Deutsch-Vorkenntnisse, das zum Zertifikat Deutsch führt. Prima orientiert sich eng am Gemeinsamen europäischen Referenzrahmen. Band 1 und 2 führen zur Niveaustufe A1, Band 3 und 4 zu A2 und der fünfte Band zu B1. prima macht Schritt für Schritt mit der deutschen Sprache vertraut und regt von Anfang an zum Sprechen an.

Das **Schülerbuch** prima 1 enthält sieben Einheiten, eine „Kleine Pause" und eine „Große Pause" sowie eine Wortliste im Anhang.
Die **Einheiten** bestehen jeweils aus acht Seiten. Die erste bilderreiche Seite führt zum Thema einer Einheit hin. Es folgen sechs Seiten mit Texten, Dialogen und vielen Aktivitäten, die die Fertigkeiten Hören, Sprechen, Lesen und Schreiben und die Aussprache systematisch entwickeln. Im Sinne des europäischen Sprachenportfolios schreiben die Schüler und Schülerinnen auch regelmäßig über sich selbst und ihre Erfahrungen.
Die grünen Merkkästen **„Land und Leute"** vermitteln aktuelle Landeskunde über die deutschsprachigen Länder. Die orangenen Kästen **„Denk nach"** helfen dabei sprachliche Strukturen selbst zu erkennen.
Die letzte Seite einer Einheit, **„Das kannst du"**, fasst das Gelernte zusammen.
Die **„Kleine Pause"** nach Einheit 3 und die **„Große Pause"** nach Einheit 7 wiederholen den Lernstoff spielerisch.
Im **Anhang** gibt es eine alphabetische Wortliste mit den jeweiligen Fundstellen.

Das **Arbeitsbuch** mit integrierter Lerner-Audio-CD unterstützt die Arbeit mit dem Schülerbuch durch umfangreiches Übungsmaterial. Zur schnellen Orientierung findet man zu jedem Lernabschnitt im Schülerbuch unter der gleichen Nummer im Arbeitsbuch ein passendes Übungsangebot.
Im **Fitnesscenter Deutsch** gibt es dazu noch übergreifende Hör- und Lesetexte und spielerische Angebote. Am Ende der Arbeitsbucheinheiten können die Lernenden in **„Einen Schritt weiter** – Was kann ich jetzt" ihren Lernfortschritt selbstständig überprüfen und auf der letzten Seite finden sie den **Lernwortschatz** der Einheit nach Lernabschnitten geordnet.

Die **Audio-CDs zum Schülerbuch** enthalten die Dialoge, Hörtexte und die Übungen zur Aussprache.

Unter **www.cornelsen.de** gibt es für die Arbeit mit Prima Zusatzmaterialien, Übungen und didaktische Tipps sowie interessante Links.

Wir wünschen Ihnen viel Spaß
und Erfolg beim Deutschlernen mit

Inhalt

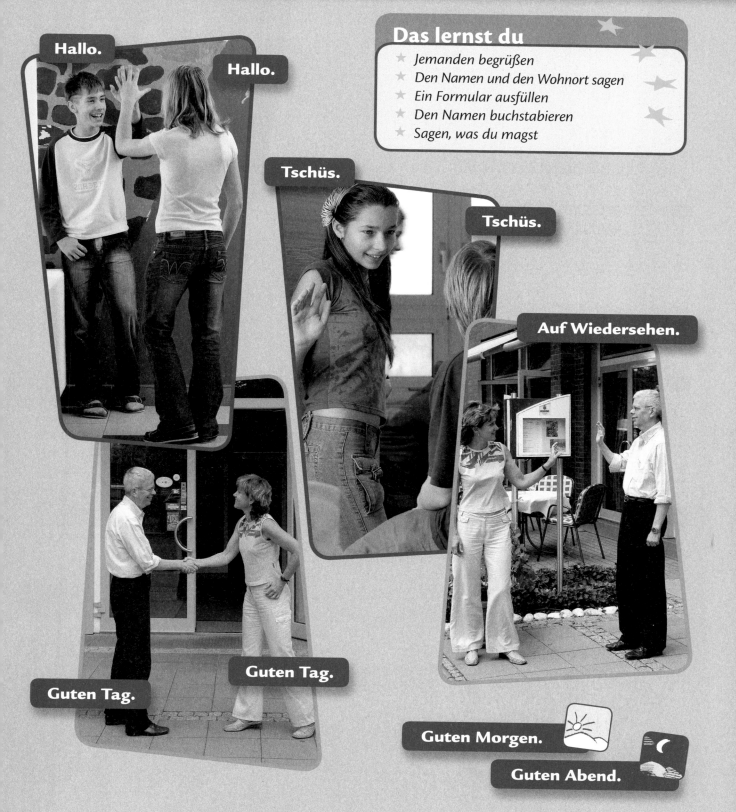

Hallo.

Hallo.

Das lernst du

★ Jemanden begrüßen
★ Den Namen und den Wohnort sagen
★ Ein Formular ausfüllen
★ Den Namen buchstabieren
★ Sagen, was du magst

Tschüs.

Tschüs.

Auf Wiedersehen.

Guten Tag.

Guten Tag.

Guten Morgen.

Guten Abend.

1 Wie heißt du?

CD2

a Hör zu und lies.

▶ Hallo, wie heißt du?

▶ Ich bin Anne. Und du?

▶ Ich heiße Jan, Jan Schwarz.

▶ Woher kommst du?

▶ Aus Tschechien, aus Prag. Und du?

▶ Ich komme aus Deutschland, ich wohne in Köln.

▶ Und wo wohnst du hier?

▶ Da.

▶ Ich wohne auch da. Dann bis später. Tschüs!

▶ Tschüs!

CD3

b Hör zu und sprich nach.

2 Sprechen üben

CD4

Hör zu und sprich nach.

heißt du?	Wie heißt du?	
wohnst du?	Wo wohnst du?	
kommst du?	Woher kommst du?	
Anne.	heiße Anne.	Ich heiße Anne.
in Köln.	wohne in Köln.	Ich wohne in Köln.
aus Deutschland.	komme aus Deutschland.	Ich komme aus Deutschland.

3 Gespräche

Fragt und antwortet.

Ich heiße ...

Hallo! Wie heißt du?

Denk nach

Verben: heißen, kommen, wohnen
ich	heiße	du	heißt
	komme		kommst
	wohn...		wohn...

Verb: sein
ich	bin	du	bist

4 Rap: Guten Tag, wie geht's?

CD5

Hör zu und mach mit.

Guten Morgen.   Guten Tag.
Guten Abend.   Gute Nacht.
Hi.   Grüß Gott.
Hallo.   Moin.

Wie geht's dir, Ruth?
Danke, gut.
Wie geht's Ihnen, Frau Ruper?
Danke, jetzt schon wieder super.

Servus.   Tschau.
Ade.   Tschüs.

5 Im Hotel

CD 6

Hör zu und lies.

► Guten Tag.
► Guten Tag.
► Wie heißen Sie, bitte?
► Petra Neu.
► Und wo wohnen Sie?
► In Köln, Altstraße 2.
► Hier bitte! Nummer 5.
► Danke.
► Auf Wiedersehen.
► Auf Wiedersehen.

Denk nach

Sie   heißen   Sie   sind
kommen
wohn...

6 Ein Formular

Lies und mach dann dein Formular im Heft.

JUGENDHOTEL Wannsee   **BERLIN**

Vorname	*Petra*
Familienname	*Neu*
Adresse	
Straße	*Altstraße 2*
Wohnort	*Köln*
Postleitzahl (PLZ)	*50490*
Land	*Deutschland*

Information
Anmeldung

7 Guten Tag ... Auf Wiedersehen

Spielt die Dialoge.

A

B

Land und Leute

Grüß Gott!*   Grüezi!
Servus!   Ade/Adieu!

*auch in Süddeutschland

C

D

E

8

CD 7

Buchstabieren

a Hör zu und mach mit.

ABCDEFG,
Deutsch zu lernen tut nicht weh.

HIJKLMN,
Sag mir doch – was hörst du denn?

OPQRSTU,
Sag mir doch – wie heißt denn du?

VWXYZ,
Deutsch zu lernen ist doch nett.

Zu A,O,U gibt's Ä,Ö,Ü
in dem ABC-Menü.
Am Ende gibt es noch ß.
Deutsch zu sprechen das ist nett.

CD 8

b Hört und spielt den Dialog.

▶ Wie heißt du?
▶ Maximilian.
▶ Wie bitte?
▶ Maximilian.
▶ Wie schreibt man das?
▶ M–A–X–I–M–I–L–I–A–N.

CD 9

c Hör zu und schreib.

**d Buchstabierspiel – Buchstabiert
und ratet Namen aus der Klasse.**

S–A–L   Salika, S–A–L–I–K–A
L–Y– ...   Lynda, L–Y–N–D–A
C–H– ...

Wer bin ich?

Schreibt Personen-Karten und spielt.

Wie heißt du? | Simon. | Wo wohnst du? ... | Wie ist dein Nachname? | Möllner.

Möllner
Simon
Budapest/Ungarn

Nachname	Vorname	Stadt/Land
Möllner	Christine	Köln/Deutschland
Jung	Simon	Prag/Tschechien
Müller	Petra	Linz/Österreich
Schwarz	Stefan	Budapest/Ungarn
Coppola	Mario	Rom/Italien
Pimentel	Sandro	Salvador/Chile

Pimentel
Petra
Köln/Deutschland

 Was magst du?

CD 10

Hör zu und lies laut.

▶ Hallo, wie geht's?
▶ Danke, gut, und dir?
▶ Auch gut. Was machst du jetzt?
▶ Ich spiele Tennis.
▶ Ich mag Tennis auch sehr.
▶ Und was magst du noch?
▶ Ich mag auch Karate und Judo.

Karate

Judo

Tennis

 Sprechen üben

CD 11

Hör zu und sprich nach.

machst du?	Was machst du?	
Tennis.	spiele Tennis.	Ich spiele Tennis.
magst du?	Was magst du?	
Musik.	mag Musik.	Ich mag Musik.
noch?	magst du noch?	Und was magst du noch?
Karate.	mag Karate.	Ich mag Karate.

Musik

Das mag ich

Sammelt in der Klasse. Macht ein Plakat.

Was magst du, Monika? | Ich mag Volleyball und ...

Denk nach

Verb: mögen
ich | Ich | mag Tennis.
du | Was | mag... du?

Volleyball

Kino

Basketball

Judo

Tischtennis

Fußball

13 Würfeln und sprechen – Ein Spiel

Würfle 2-mal und mach einen Satz.

→ :: + :: ↓
Woher kommst du?
Ich komme aus ...

	·	··	·.·	::	:·:	:::
·	wo/du	wie/Sie	woher/du	wie/Sie	woher/Sie	wo/Sie
··	heißen	kommen ✓	wohnen	mögen	spielen	heißen
·.·	ich	du	Sie	ich ✓	du	Sie
::	mögen	wohnen	kommen	mögen	heißen	spielen
:·:	du	Sie	ich	ich	Sie	du
:::	wie/du	woher/Sie	wo/du	woher/du	wo/Sie	wie/Sie

:: + ·.·
Ich heiße ...
Ich wohne in ...

14 Internet-Chat

a Lies die Texte und ordne die Bilder zu.

1 Hallo, ich heiße Stefanie Kohler und wohne in München. Ich mag Fußball, Tennis
   und auch Musik.
2 Grüß Gott, ich bin Matthias Schneider. Ich komme aus Österreich, aus Wien.
   Ich mag Kino und Partys und auch Internet-Chats.
3 Guten Tag, ich heiße Conny Schröder. Ich komme aus Berlin.
   Ich mag Radfahren und Schwimmen.
4 Hi! Wie geht's? Mein Name ist Paolo Lima. Ich komme aus Italien. Ich wohne in
   Köln. Ich mag Fußball und Schwimmen.
5 Grüezi! Ich bin Laura Zwingli. Ich komme aus der Schweiz. Ich wohne in Basel.
   Ich mag Volleyball und Internet-Chats.

Spitzname [   ]   Neuanmeldung   Textfenster aktualisieren
Kennwort   [   ] [   ]   Kennwort ändern

b Schreib deinen Chat-Text.

15 **Bilder und Buchstabenrätsel**

a   Wie heißen die Länder und die Städte?

b   Welches Foto zeigt welche Stadt aus 15a? Die Buchstaben helfen.

Jemanden begrüßen

Guten Morgen.	▶ Hallo, wie geht's?
Guten Tag.	▶ Danke, gut, und dir?
Guten Abend.	▶ Auch gut. / Es geht.
Auf Wiedersehen.	
Tschüs. / Servus.	
Bis später.	

Guten Tag, wie geht es Ihnen?

Danke, gut, und Ihnen?

Den Namen und den Wohnort sagen

Wie heißt du?	Ich heiße …
Wo wohnst du?	Ich wohne in …
Woher kommst du?	Ich komme aus …

Den Namen buchstabieren

▶ Ich heiße Salika.
▶ Wie schreibt man das?
▶ S–A–L–I–K–A.

Sagen, was du magst

Was magst du?	Ich mag … und …
	Ich mag auch …

Außerdem kannst du …

… ein Formular ausfüllen.
… einen Chat-Text schreiben..
… einfache Information im Text verstehen.

Ich heiße Mati. Ich komme aus Transturien.

Grammatik   kurz und bündig

Personalpronomen und Verben

ich	komme	wohne	mache	heiße	mag	bin
du	kommst	wohnst	machst	heißt	magst	bist
Sie	kommen	wohnen	machen	heißen	mögen	sind

W-Fragen und Antworten

Position 1	Position 2: Verb	
Wie	heißt	du?
Ich	heiße	Anne.
Wo	wohnst	du?
Ich	wohne	in Köln.
Woher	kommst	du?
Ich	komme	aus Deutschland.
Wie	heißen	Sie?
Ich	heiße	Jörg Nowak.
Wo	wohnen	Sie?
Ich	wohne	in Basel.

Meine Klasse

Englisch

Mathematik

Das lernst du

★ Zahlen 0–1000
★ Telefonnummern sagen
★ Über Personen/Sachen sprechen
★ Sagen, was du magst/nicht magst

der Unterricht

Wie ist deine Handynummer?

0175 8469231. Und deine?

die Pause

0161 2483579.

Telefon Vanessa 541987036
Handy Tim 0175 6985432

Die Schule ist aus.

 **Sport**

Deutsch

 Biologie

1 Die Neue

CD 12

a Hör zu.

> Guten Tag. Das ist Jasmin Bayer. Sie kommt aus München und wohnt jetzt hier in Ulm.

> Hallo.

▶ Hallo, ich bin Andreas.

▶ Hallo, Andreas.

▶ Jetzt ist Bio. Magst du Bio?

▶ Ja, sehr.

▶ Ich nicht. Ich hasse Bio. Ich mag Deutsch.

b Hör noch einmal und lies. Was ist richtig? Lies vor. Was ist falsch? Korrigiere.

1. Jasmin Bayer kommt aus Ulm.
2. Sie wohnt in Ulm.
3. Andreas ist neu in der Klasse.

4. Jasmin mag Bio.
5. Andreas hasst Deutsch.
6. Andreas mag Bio nicht.

Denk nach

er/sie	kommt	wohn...
er/sie	heißt	hass...
! er/sie	ist	mag

2 Sprechen üben

CD 13

Hör zu und sprich nach.

Mathe?	Magst du Mathe?
Ja, super!	Ja, Mathe ist super!
Bio?	Magst du Bio?
Es geht.	Na ja, es geht.
Sport?	Magst du Sport?
Nein.	Nein, ich hasse Sport.
Englisch?	…

3 Schulfächer

Fragt und berichtet.

> Wie heißt auf Deutsch?

> Magst du Bio?   Ja. / Nein. Und du?
> Es geht.
> Bio ist super!
> Ich hasse Bio, aber ich mag …

> Ich mag Sport.   Ich auch.
> Ich nicht, aber ich mag …

> Das ist David. Er wohnt in …
> Er mag Geografie.

4

CD 14

Pause

a Hört zu. Lest den Dialog.

▶ Lisa: Hallo, Jasmin, ich bin Lisa.
▶ Jasmin: Hallo, Lisa.
▶ Lisa: Das ist meine Freundin Lena.
▶ Jasmin: Hallo, Lena.
▶ Lena: Hallo, Jasmin.
▶ Lisa: Und das ist mein Freund Michael.
▶ Jasmin: Dein Freund?
▶ Lisa: Ja – äh – nein, also mein Schulfreund.
Wir machen viel zusammen.
▶ Michael: Hi, Jasmin.
▶ Lena: Was macht ihr heute Nachmittag?
▶ Jasmin: Keine Ahnung, und du?

b Stell deine Freunde vor.

Das ist mein Freund Sascha. Er kommt aus Estland.
Wir spielen zusammen Fußball.

Das ist meine Freundin Laura. Sie ist auch
in Klasse 7. Wir machen zusammen Musik.
Wir mögen Rap-Musik.

Denk nach

mein Freund mein... Freundin
dein Freund dein... Freundin

Denk nach

Wir spielen gern Fußball.
W... hör... gern Musik.
W... mög... Rap-Musik.

Was macht **ihr** heute?

5

Meine Freunde

Schreib den Text ins Heft und lies vor.

Tennis • Radfahren • Fußball • Judo • Freund •
Meine • mein • heiße • heißt • ist • mag

Ich … Thomas Brinkmann. Das … … Freund Jonas.
Er mag Sport. Er spielt gern … und … .
Mein … David … auch Fußball. … Schulfreundin … Veronika.
Sie mag … und … .

6   Der Zahlen-Rap

CD 15

Hör zu und mach mit.

0 null	1 eins	2 zwei	3 drei	4 vier	5 fünf	6 sechs
7 sieben	8 acht	9 neun	10 zehn	11 elf	12 zwölf	

1 – 2 – 3 und **4**,
Zahlen lernen wir.
5 – 6 – 7 – 8,
Zahlen rappen Tag und Nacht.
9 und **10**,
Zahlen sprechen und versteh'n.

11 – 12 – 13 –
komm, mach mit,
Zahlen machen fit.
14 und **15**,
16 –17 – 18 – 19,
20 und aus.
Und jetzt nach Haus.

dreizehn

7   Sprechen üben – Zahlengruppen sprechen

CD 16

a   Hör zu und sprich nach.

123 321 0   221 442 5   33 55 779

b   Mach Zahlengruppen und sprich die Telefonnummern laut. Wer kann eine auswendig?

227772   4141412   1525351   3362240

8   Telefonnummern

CD 17

Spielt in der Klasse.

▶ 307772911 – klingelingeling
▶ Hier ist Peter. Wer ist am Telefon?
▶ Hallo, Peter. Hier ist Monika.
   Wie geht's?

Land und Leute

Auto	Telefon	Internet
⬭	0049	… .de
⬭	0043	… .at
⬭	0041	… .ch

9   Die Schule ist aus

CD 18

Hört zu. Lest und spielt den Dialog.

▶ Tschüs, Michael, bis morgen.
▶ Wie ist deine Handynummer, Jasmin?
▶ 0157 1788335. Und deine?
▶ 0164 57711234. Und meine E-Mail-Adresse
   ist michaelmeinck@zdx.de.
▶ Wie schreibt man Meinck?
▶ M-E-I-N-C-K.
▶ Danke, tschüs, bis morgen.

10
CD 19

Die Zahlen bis 1000

Hör zu und lies die Zahlen.

21 einundzwanzig	40 vierzig	101 (ein)**hundert**eins
22 zweiundzwanzig	50 fünfzig	…
23 …	60 sechzig	200 zweihundert
… …	70 siebzig	…
30 dreißig	80 achtzig	1000 (ein)**tausend**
31 einunddreißig	90 neunzig	
… …	100 (ein)**hundert**	

1111 Eintausend-
einhundertelf.

11
CD 20

Zahlenspiele

a Echo – Hör zu und sprich nach.

a) 21   35   54   49   86   51   90   47
b) 22 und 12   55 und 15   7 und 17   99 und 19   61 und 16   33 und 13
c) 15 16 17   40 50 60 70   88 99 100   8 18 80 88
d) 547   269   741   236   954   602

b Würfle 2-mal und lies die Zahlen in der Tabelle.

	⚀	⚁	⚂	⚃	⚄	⚅
⚀	13	16	18	15	19	10
⚁	44	66	88	99	33	77
⚂	5	8	6	7	4	9
⚃	60	70	90	40	80	20
⚄	86	91	36	54	45	89
⚅	120	295	450	780	1111	1234

➡ ⚃ + ⚁ ⬇
Vier.

c Laufdiktat – Lies und diktiere die Zahlen.

345
1205
719
8244
5662
3331
103

Eintausendzwei-
hundertfünf.

d Zahlenkette – Setzt die Zahlenkette fort.

28   81   17   75   56   ?

(12) Schulsachen

CD 21   **Hör zu, such das Wort und lies vor.**

der Rucksack • der Filzstift • die Tafel • die Uhr • der Computer • die Schere • die Brille • der Zirkel • das Buch • der Klebstoff • der Spitzer • der Bleistift • der Radiergummi • das Heft • der Füller • das Lineal • der Kuli • das Mäppchen • die CD

Lernen lernen

TIPP *Nomen immer mit Artikel lernen. Schreib Lernkarten. Auf der Vorderseite deine Sprache und auf der Rückseite Deutsch.*

pencil

der Bleistift
Das ist mein Bleistift.

(13) Der Wortakzent

CD 22   **Hör zu und sprich nach.**

der Fül·ler • der Ku·li • die Ta·fel • der Spit·zer • die Sche·re • der Blei·stift
die C·D • der Com·pu·ter • der Ra·dier·gum·mi • das Li·ne·al

(14) Ist das ein Bleistift?

Sprecht in der Klasse.

Nein, das ist ein Heft.
Das ist mein Heft.

Wie heißt das auf
Deutsch? Ist das ein Buch?

Denk nach

der	das	die
ein	ein	eine
m...	m...	meine
d...	dein	dein...
Bleistift	Buch	Tafel
Kuli	Heft	Schere
...	...	...

15 **Meine Freunde und meine Schule**

a **Sieh die Fotos an und lies die Texte.**

Das ist meine Schule und meine Klasse. Ich mag Englisch und Biologie. Ich lerne auch Französisch.

Ich heiße Georg und wohne in Berlin. Ich jongliere gern.

Das sind meine Schulsachen:

mein Rucksack

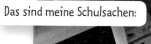

mein Matheheft

mein Englischbuch   mein Deutschbuch   mein Kuli

Das ist mein Freund Vladimir. Er kommt aus Russland. Er mag Englisch und Deutsch. Sport mag er nicht, aber er jong- liert gern. Wir lernen oft zusammen.

Das ist Christine, sie ist auch in Klasse 7. Sie spielt Flöte und lernt sehr gut. Sie mag Englisch, Deutsch, Bio, Mathe, Physik, Sport ... na alles. Aber sie jongliert nicht.

b **Was ist richtig? Was ist falsch?**

	r	f
1. Georg kommt aus Russland.		
2. Er lernt Englisch und Deutsch.		
3. Georg jongliert gern.		
4. Christine lernt nicht Englisch.		
5. Sie ist in Klasse 7.		
6. Sie jongliert nicht.		

	r	f
7. Vladimir spielt sehr gut Flöte.		
8. Er mag Englisch.		
9. Er mag Sport nicht.		
10. Georg, Christine und Vladimir lernen Englisch.		
11. Die drei jonglieren.		
12. Die drei sind in Klasse 7.		

Über Personen sprechen

Das ist mein Freund. Er heißt ... / kommt aus ... / wohnt in ...

Das ist meine Freundin. Sie heißt / kommt aus ... / wohnt in ...

Sagen, was du magst / nicht magst

Magst du Bio?

Ja. / Es geht. • Nein, ich hasse Bio, aber ich mag Deutsch.

Telefonnummern und E-Mail-Adressen

Wie ist deine Handynummer?   0175 2446967.
Wie ist deine E-Mail-Adresse?   jasminbayer@zdx.de.

jasminbayer ät zett de iks punkt de e

Über Sachen sprechen

Was ist das? Wie heißt das auf Deutsch?

 Das ist ein Bleistift.

Das ist ein Kuli.
▶ Ist das ein Bleistift?
▶ Nein, das ist ein Lineal.

Außerdem kannst du ...

... bis 1111 zählen.   ... einen kurzen Text verstehen..

Grammatik   kurz und bündig

Personalpronomen und Verben

Infinitiv		kommen	heißen	mögen	sein
Singular	ich	komme	heiße	mag	bin
	du	kommst	heißt	magst	bist
	er/es/sie	kommt	heißt	mag	ist
Plural	wir	kommen	heißen	mögen	sind
	ihr	kommt	heißt	mögt	seid
	sie	kommen	heißen	mögen	sind
Sie-Form	Sie	kommen	heißen	mögen	sind

Artikel

der	Kuli	das	Mäppchen	die	CD
ein	Kuli	ein	Mäppchen	eine	CD
mein	Kuli	mein	Mäppchen	meine	CD
dein	Kuli	dein	Mäppchen	deine	CD

Nomen immer mit Artikel lernen.

Präpositionen: in, aus

Ich wohne *in*   Deutschland/Österreich/*der* Schweiz.
Ich komme *aus*   Deutschland/Österreich/*der* Schweiz.

der Schmetterling

der Pinguin

1

die Schildkröte

2

das Meerschweinchen

4

der Kanarienvogel

5

der Hamster

6

die Maus

7

der Hund

8

der Bison

12

die Kuh

13

die Spinne

14

der Tiger

9

der Wolf

10

das Pferd

11

das Känguru

die Antilope

15

16

das Lama

17

Ich habe eine Katze. Sie heißt Mitzi.

Das ist mein Kaninchen. Es ist vier Jahre alt und heißt Timo.

Tiere

3

Das lernst du

★ Über Tiere sprechen
★ Interviews in der Klasse machen
★ Einen Text über Tiere verstehen

1
CD 23

Tiergeräusche
Hör zu und finde das Tier auf Seite 21.

A ist eine Katze.

2

Der Wortakzent
a Schreib die Tiernamen.

die Katze • der Tiger • die Antilope • das Meerschweinchen • die Spinne •
der Kanarienvogel • das Lama • der Pinguin

die Katze

CD 24   **b Hör zu und sprich nach. Markiere den Wortakzent. Wo ist der Wortakzent nicht am Anfang?**

3
CD 25

Die Vokale a – e – i – o – u: lang _ oder kurz • ?
Hör zu und sprich nach.

a̱   das La̱ma
e̱   das Me̱erschweinchen
i̱   der Ti̱ger
o̱   die Antilo̱pe
u̱   die Ku̱h

ạ   die Kạtze
ẹ   der Schmẹtterling
ị   die Spịnne
ọ   der Wọlf
ụ   der Hụnd

L a̱ ma

K ạ tze

4

Tiere und Kontinente
Woher kommen die Tiere von Seite 21? Fragt und antwortet in der Klasse.

Nordamerika

Europa

Asien

Afrika

Südamerika

Australien

Ich glaube, das Lama kommt aus …

Woher kommt der Bison?

Aus Nordamerika.

Lieblingstiere

Sammelt in der Klasse.

> Mein Lieblingstier ist die Katze.

> Mein Lieblingstier ist das Pferd.

6 **Hast du ein Haustier?**

CD 26

a Lies die Sätze. Hör zu. Was ist richtig? Was ist falsch?

1. Drina und Milan haben Haustiere.
2. Milan fragt: Hast du auch eine Katze?
3. Milan hat keinen Hund.
4. Drina hat eine Katze.
5. Milan mag Hunde.
6. Drinas Katze ist 20 Jahre alt.
7. Milans Hund ist 3 Jahre alt.
8. Drina mag Spinnen.

Denk nach

Verb: haben		
ich	habe	wir h...
du	hast	ihr habt
er/es/sie	ha...	sie/Sie h...

▶ Hast du Haustiere, Drina?
▶ Ja, ich habe eine Katze.
▶ Hast du auch einen Hund?
▶ Nein, ich habe keinen Hund. Und du?
▶ Ich habe einen Hund und einen Papagei.
▶ Einen Papagei? Super. Ist der schon alt?
▶ Ja, er ist 20 Jahre alt.
▶ Und dein Hund?
...

Denk nach

	Nominativ	Akkusativ	
der Hund	Das ist ein Hund.	Ich habe einen Hund.	Ich habe kein... Hund.
das Pferd	Das ist ein Pferd.	Ich habe ein Pferd.	Ich habe kein Pferd.
die Katze	Das ist eine Katze.	Ich habe eine Katze.	Ich habe kein... Katze.

b Haustiere in der Klasse – Macht Interviews und berichtet.

> Ich habe kein Haustier.

> Marie, Sophie und Lea haben eine Katze.

> Hast du einen Hund?

> Nein, ich habe keinen Hund. Ich habe eine Katze.

7 **Grammatik spielen**

Würfle 2-mal, frage und antworte.

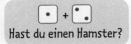

Hast du einen Hamster?

Nein, ich habe keinen Hamster.

Hast du einen CD-Spieler?

Ja, ich habe einen CD-Spieler.

	⚀	⚁	⚂	⚃	⚄	⚅
⚀	der Computer	der CD-Spieler	der Bleistift	der Kuli	der Rucksack	der Spitzer
⚁	der Hamster	der Hund	der Pinguin	der Vogel	der Tiger	der Freund
⚂	das Mäppchen	das Buch	das Lineal	das Handy	das Telefon	das Heft
⚃	das Meer-schweinchen	das Känguru	Noch mal würfeln.	das Kaninchen	das Lama	das Pferd
⚄	die CD	die Schere	die Brille	Noch mal würfeln.	die Uhr	Noch mal würfeln.
⚅	die Maus	die Kuh	die Spinne	die Schildkröte	die Katze	die Antilope

8 **Ja/Nein-Fragen**

a Wiederhole die Verbformen.

sein, kommen, mögen, haben …

du bist …

ich bin …

b Schreib die Fragen: du-Form und Sie-Form.

Fußball spielen
ein Fahrrad haben
einen Computer haben

Tennis spielen
12 Jahre alt sein
einen MP3-Spieler haben

Französisch lernen
Klaus/Maria heißen
…

Mathe mögen

du-Form
Spielst du Fußball?

Sie-Form
Spielen Sie Fußball?

Denk nach

Ich habe eine Katze.
Hast du eine Katze?
Ich spiele Fußball.
… … Fußball?

9 Interviews in der Klasse

CD 27

a Ja/Nein-Fragen sprechen – Hör zu und sprich nach.

Spielen Sie <u>Fuß</u>ball?   Spielst du <u>Ten</u>nis?
Mögen Sie <u>Ma</u>the?   Magst du <u>Ma</u>the?
Heißen Sie <u>Mai</u>er?   Heißt du Sa<u>bri</u>na?

b Frag in der Klasse.

Kommst du aus Österreich?

Wohnst du in Paris?

Spielst du Fußball?

Nein, ich schwimme gern.

c Frag deine Lehrerin / deinen Lehrer.

Sind Sie ...

Haben Sie ...

Herr/Frau ... mögen Sie HipHop?

Mögen Sie ...?

10 Nomen lernen: der Hund – die Hunde

a Lies das Beispiel und schreib zehn Lernkarten: Tiere und andere Nomen.

die Maus, "-e
Ich habe eine Maus.
Ich mag Mäuse.

mouse, mice
I've got a mouse.
I like mice.

TIPP   Die Pluralformen findest du in der Wortliste auf Seite 71.

b Wie heißt der Lerntipp? Ergänze.

Lernen lernen

TIPP   Nomen immer mit A...
und Pluralform lernen.

c Tauscht die Karten in der Klasse. Übt die Nomen: mit Artikel und Plural.

Ron, wie heißt „dog" auf Deutsch?

Der Hund.
Ich mag Hunde.
Drina, wie heißt „cat" auf Deutsch?

Die Katze, die Katzen.
Ich habe eine Katze.
Sonja, wie heißt „book" auf Deutsch?

11 Tiere und Farben

a Englisch und Deutsch – Was passt zusammen? Ordne zu.

white	grey	**black**	**brown**	red	green	**blue**	yellow
gelb	braun	weiß	rot	grün	grau	schwarz	blau

b Finde ein Tier für jede Farbe.

> Hunde sind braun oder grau oder …

> Schmetterlinge sind …

12 Interviews über Tiere

a Sammelt Fragen und Antworten.

> Hast du ein Lieblingstier? Ja, mein Lieblingstier ist …
> Hast du ein Haustier? Ja, einen …
>
> Hast du einen/ein/ein … Nein, ich habe keinen …
> Was mag … gern?
> Ist er/es/sie groß/klein?

b Macht Interviews in der Klasse und berichtet.

> Saskia mag Pinguine. Sie hat eine Katze. Die Katze heißt Mia. Sie ist drei Jahre alt.

13 Ein Tier beschreiben

Schreib und lies vor. Sammelt die Texte auf einem Plakat.

Denk nach

der Tiger – er
das Pferd – …
die Katze – …

> Ich habe einen Hamster.
> Er heißt Toluk.
> Mein Hamster ist vier Jahre alt.
> Er ist groß.
> Er ist braun und weiß.
> Er mag Salat.

> Mein Lieblingstier ist der Tiger.
> Er ist groß und stark.
> Er kommt aus Asien.
> Ich mag Tiger.
> Ich mag auch Pferde.

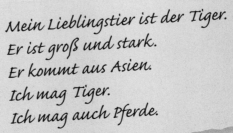

14 **Tiere in Deutschland**

a Lies den Text. Welche Überschrift passt: A oder B?

A **HAUSTIERE IN DEUTSCHLAND**

B **DIE DEUTSCHEN MÖGEN KEINE TIERE**

Die Deutschen mögen Haustiere. Sie haben über 23 Millionen Haustiere. Über 5 Millionen Hunde leben in deutschen Wohnungen und über 7 Millionen Katzen. Es gibt auch über 4 Millionen Vögel. Aber die Deutschen haben auch andere Haustiere, z.B. Mäuse, Meerschweinchen, Hamster, Ratten, Spinnen, Fische usw.

b Was steht im Text? ob!

1. Die Deutschen haben 23 Millionen Haustiere.
2. Sie haben über 7 Millionen Hunde.
3. Sie haben keine Fische.
4. Sie haben auch Vögel.
5. Sie mögen keine Katzen.

Land und Leute

Wer hat ein Haustier?
0–29 Jahre: 10 %
30–39 Jahre: 23 %
40 Jahre +: 57 %

15 **Bilderrätsel**

Wie viele Tiere findest du im Bild? Welche Farben haben die Tiere?

Hier sind sieben Antilopen. Drei sind braun. Drei sind rot und eine Antilope ist blau.

Über Tiere sprechen

Woher kommt der Tiger?	Er kommt aus Asien.
	Ich glaube, das Lama kommt aus Südamerika.
Was ist dein Lieblingstier?	Mein Lieblingstier ist der Tiger. Er ist groß und stark.
Hast du Haustiere?	Ja, ich habe eine Katze. Sie ist drei Jahre alt. Sie ist schwarz.
	Ich habe einen Hund und einen Hamster.
	Nein, ich habe kein Haustier.
Hast du einen Hund?	Nein, ich habe einen Kanarienvogel. Er heißt Timo.
	Nein, ich habe keinen Hund.

Ja, er ist zehn Jahre alt.

Mäuse mag ich nicht.

Berichten

Sophie hat eine Katze. Sie ist zwei Jahre alt.
Drinas Lieblingstier ist der Pinguin.
Sie mag auch Pferde sehr.

Ist dein Hund alt?

Magst du Mäuse?

Außerdem kannst du ...

... einen Text über Tiere verstehen.
... einen Text über Tiere schreiben.
... einige Nomen mit Artikel und Pluralform verwenden.

Grammatik   kurz und bündig

Verben

Infinitiv	haben				
Singular	ich	habe	Plural	wir	haben
	du	hast		ihr	habt
	er/es/sie	hat		sie/Sie	haben

Akkusativ

der Hund

Das ist ein Hund.
Siehst du den Hund?
Ich habe einen Hund.

Artikel und Personalpronomen

der Tiger	Er ist groß.
das Pferd	Es ist lieb.
die Katze	Sie heißt Mitzi.

Ja/Nein-Fragen und Antworten

		Verb	
		Hast	du eine Katze?
Ja,	ich	habe	auch eine Katze.
Nein,	ich	habe	keine Katze.
	Ich	habe	einen Hamster
		Ist	dein Hamster alt?

Beim Akkusativ merken: Im Maskulinum + -en.

Das ist Susann...
sie ist 15 und mag
Radfahren.

Das ist André,
er ist 12. Er
spielt Tennis
und Fußball.

Luisa ist dreizehn und
mag Tiere. Ihre Katze
heißt Muschi und ist
drei Jahre alt.

Mein Freu...
14 und m...

Carmen ist vi...
Sie mag Tenn...

Lernplakate

Wählt ein Thema: „Wir", „Tiere", „Der Schulrucksack".
Arbeitet in Gruppen und macht Lernplakate:
Wörter, Sätze und Bilder.

:SÄTZE:

FRAGEN:

...heißt du?
...alt bist du?
...magst du?
...ist das?
...alt ist er/sie?
...mag sie/er?
...spielt er/sie?
...er/sie Tiere?

WÖRTER:

SPORT

RADFAHREN

GYMNASTIK

RODEL...

SCHWIMMEN

BASKETBALL

BASEBALL

GOLF

BAD...

Athletik

Dialoge üben

Wählt ein Bild aus. Schreibt
und spielt einen Dialog.

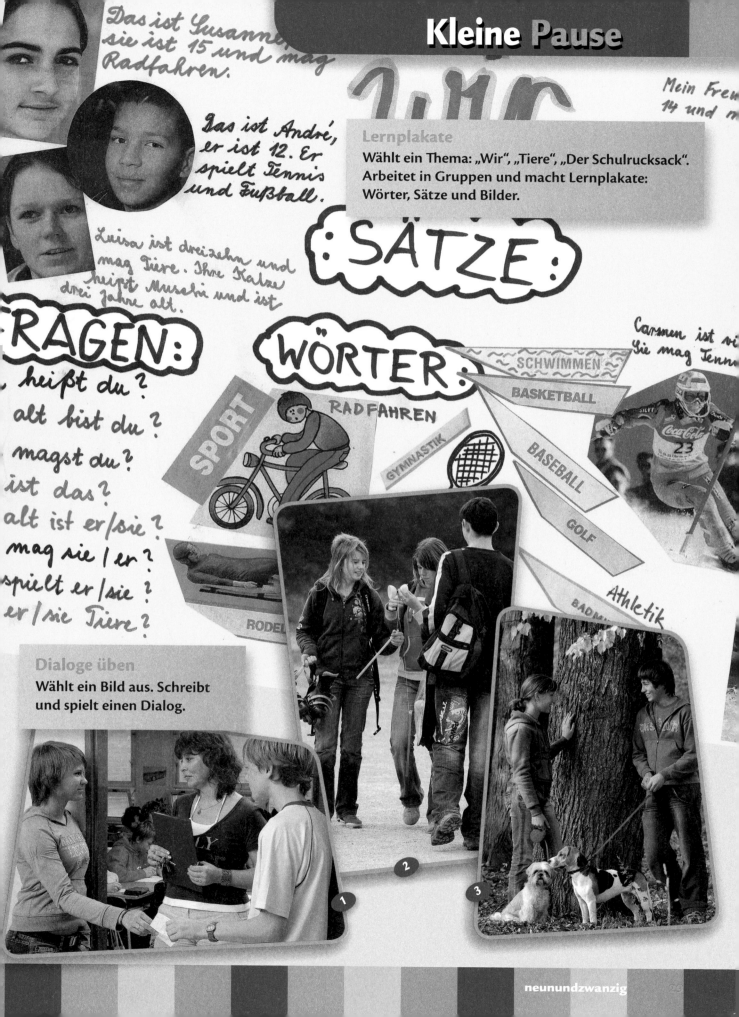

1

2

3

Kleine Pause

Grammatikspiel

Du brauchst

Du würfelst und gehst vor:

Dann würfelst du noch einmal:
1 ich, 2 du, 3 er/es/sie, 4 wir, 5 ihr, 6 sie ➡ ➡ haben

➡ sie hat

START ▶	kommen ▶	haben ▶	schreiben ▶	mögen ▼
hassen ◀	sein ◀	wohnen ◀	spielen ◀	heißen
▼ machen ▶	jonglieren ▶	lernen ▶	fragen ▶	schwimmen ▼
				ZIEL

Aussprache

CD 28

a Wer sagt es wie? Hör zu und notiere die Bildnummer.

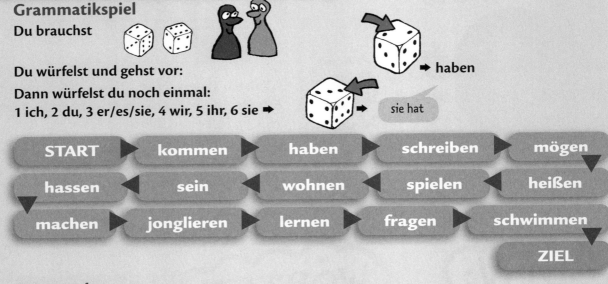

b Hör noch einmal und sprich nach.

c Sprich „Eine Million (1 000 000)", die anderen raten, welches Bild passt. Hast du neue Ideen?

d Sprecht den Dialog interessant. Ihr könnt auch ganz leise sprechen oder flüstern.

Eine Verabredung

▶ Morgen?
▶ Nachts um 12?
▶ Eine Million?
▶ Eine Million. In der Schule.
  Nachts um 12.

▶ Morgen. Nachts um 12.
▶ Nachts um 12. Eine Million.
▶ Eine Million.
  In der Schule. Nachts um 12.

CD 29

Ein Gedicht lesen und sprechen
Was tun? Zum Beispiel:

1. Lesen
2. Laut lesen: Jungen und Mädchen lesen abwechselnd je eine Zeile.
3. Spielen: Probiert verschiedene „Töne" aus – laut und leise, ruhig und nervös …
4. Variieren: Ändert Wörter.

Sich mögen

Mädchen:
„Ich mag dich."
„Ich mag dich sehr."
„Ich mag dich sehr gut."
„Ich mag dich sehr gut riechen."

Junge:
„Ich mag dich auch."
„Ich mag dich auch sehr."
„Ich mag dich auch sehr gut."
„Ich mag dich auch sehr gut leiden."

Mädchen:
„Nein, ich mag dich doch nicht."
„Ich mag dich doch nicht sehr."
„Ich mag dich doch nicht sehr gern."
„Ich mag dich doch nicht sehr gern vermissen."

Junge:
„Ich mag dich gar nicht."
„Ich mag dich gar nicht sehr."
„Ich mag dich gar nicht sehr gern."
„Ich mag dich gar nicht sehr gern entbehren."

Aus: Hans Manz, Die Welt der Wörter

Hören

CD 30

Hör zu. Welche Reaktion passt?

1 a) Guten Tag, Frau Reimer.
b) Hi, Frau Reimer.
c) Tschüs!

2 a) Nein, sie heißt Mimi.
b) Sie ist drei Jahre.
c) Ja, ich habe eine Katze.

3 a) Ja, ich spiele gern.
b) Ja, und Bio ist auch super.
c) Nein, ich bin zwölf.

Effektiv wiederholen
Sprecht in der Klasse.

1. Was sagt die Grafik?
2. Wie lernt ihr?
3. Wer hat Lernkarten?
4. Macht einen „Lernplan" für zwei Wochen.

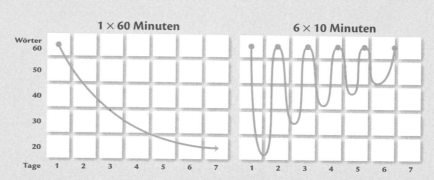

Kleine Pause

Spielen und wiederholen: Drei in einer Reihe
Eure Lehrerin / Euer Lehrer erklärt euch die Regeln.

1	2	3	4	5	6
Zähl bis 10.	Verb: kommen ich komme, du …	▶ „Guten Tag." ▶ „…"	Verb: sein ich bin, du …	3 Fragen: Wie …, Wo … Woher …	Wohnst du in Berlin?

7	8	9	10	11	12
3 Tiere der …, die …, das …	Was magst du? 3 Sätze.	Verb: mögen ich mag, du …	Magst du „Fußball"? 	Sport: 3 Wörter	Was ist das?

13	14	15	16	17	18
Wo wohnst du?	3 Städte in D / A / CH	Artikel: … Kuli … Bleistift, … Schere	▶ „Hallo, wie geht's?" ▶ „…"	Wie heißt dein Freund / deine Freundin?	Hast du eine Katze?

19	20	21	22	23	24
Ist das ein Spitzer?	Wie heißt das auf Deutsch?	Verb: haben ich habe, du …	Plural: das Buch, die …, die Maus, …	Magst du Sport?	Wie heißt das auf Deutsch?

25	26	27	28	29	30
Kontinente: Afrika, Am… As…, Eu…, Au…	Deine Telefon- nummer	Zähl von 10 bis 20.	Verb: spielen ich spiele, du …	Artikel: …Tafel, … Füller, … Buch	Richtig? Die Deut- schen haben keine Haustiere.

31	32	33	34	35	36
Verb: kommen ich komme …	Artikel + Plural: … Bleistift, … … Katze, … Heft, …	Hast du ein „Handy"?	Was ist dein Lieblingstier? 2 Sätze	Magst du „Rap-Musik"?	Kommst du aus ?

Projekt

Was kennt ihr/findet ihr in eurem Land aus Deutschland, Österreich oder der Schweiz?

Deutschland   Österreich   Schweiz

Mein Schultag

um Viertel nach sieben

Das lernst du

★ Uhrzeiten und Tageszeiten
★ Wochentage
★ Deinen Tagesablauf beschreiben
★ Texte über Schule verstehen/schreiben

eine Stunde Mittagspause

um 6 Uhr 30

von 8 Uhr 30 bis 16 Uhr

Mo	29. April
Di	30. April
Mi	1. Mai
Do	2. Mai
Fr	3. Mai
Sa	4. Mai
So	5. Mai

1
CD 31

Lea, aufstehen!

a Hör zu und lies.

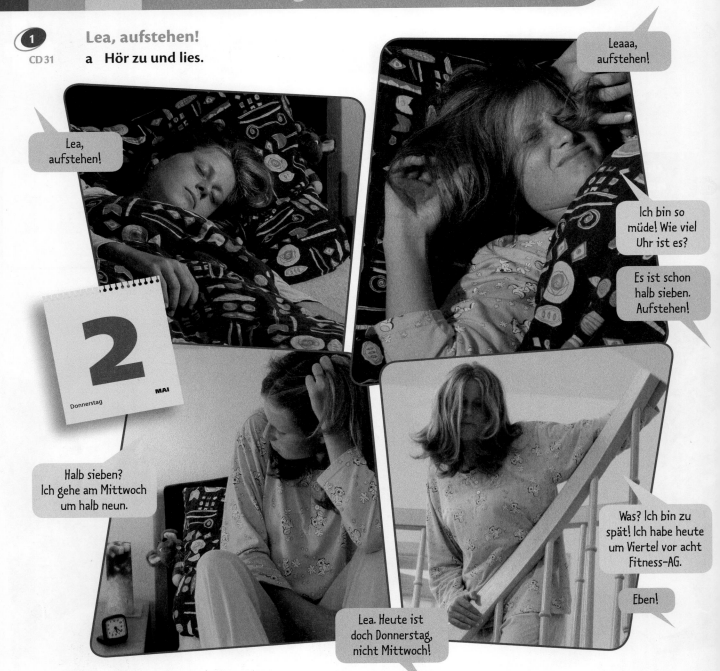

b Hör noch einmal und lies 1–5. Richtig oder falsch?

1. Lea ist zu Hause.
2. Die Mutter ist im Bett.
3. Es ist Mittwoch.
4. Lea hat Schule.
5. Lea hat Englisch-AG.

Land und Leute

Fitness-AG: *Deutsche Schulen bieten oft ein Ergänzungsprogramm zum normalen Unterricht: die Arbeitsgemeinschaften. Zum Beispiel die Fitness-AG, die Informatik-AG, die Theater-AG usw. Bei Arbeitsgemeinschaften bekommen die Schüler keine Noten. Es geht nur um die Freude am Thema.*

Sprechen üben

CD 32 **Hör zu und sprich nach.**

Uhr	Uhr ist es	Wie viel Uhr ist es?
sieben	sieben Uhr	Es ist sieben Uhr.
Donnerstag	ist Donnerstag	Heute ist Donnerstag.
um Viertel vor acht	um Viertel vor acht Schule	Wir haben um Viertel vor acht Schule.
um halb neun	um halb neun Schule	Wir haben um halb neun Schule.

 Uhrzeiten

CD 33 **a Hör zu und sprich nach.**

Es ist 7 Uhr.   Es ist 10 nach 7.   Es ist Viertel nach 7.

Es ist halb 8.   Es ist Viertel vor 8.

b Notiert fünf Uhrzeiten – Arbeitet zu zweit. Fragt und sagt die Uhrzeiten.

A	B
9.45	
	11.15
12.30	
8.45	
7.10	
6.20	

B	A
11.15	
	5.45
10.00	
5.45	
6.30	
9.20	

Wie viel Uhr ist es?

Es ist Viertel nach elf. Wie viel ...?

4 Leas Schultag

Lies den Text. Notiere die Informationen zu den Zahlen.

13 – 7d – halb 7 (6 Uhr 30) – um Viertel nach sieben (7 Uhr 15) – eine Stunde – bis 13 Uhr 40

Internationale Gesamtschule Heidelberg

– eine Friedensschule –
unesco-projekt-schule

Aktuelles   Die IGH   Kontakt   Menschen   Schulleben   Service   fun

Adressat: timvolker@wizz.de
Kopie:
Objekt: Das bin ich

Lieber Tim,
ich heiße Lea. Ich bin dreizehn Jahre alt und wohne in Heidelberg. Meine Schule heißt „Internationale Gesamtschule Heidelberg". Ich bin in Klasse 7d. Wir haben fünf Tage pro Woche Schule: von Montag bis Freitag. Ich stehe jeden Tag um halb sieben auf und gehe um Viertel nach sieben aus dem Haus. Von Viertel vor acht Uhr morgens bis vier Uhr nachmittags bin ich in der Schule. Der Unterricht beginnt um halb neun. Wir haben am Vormittag fünf „Stunden" Unterricht, bis 12 Uhr 40, und dann eine Stunde Mittagspause, bis 13 Uhr 40. Nachmittags haben wir drei Stunden. Jede Unterrichtsstunde hat 45 Minuten. Um vier Uhr ist die Schule zu Ende. Um halb fünf bin ich zu Hause. ...

5 Die Uhrzeit offiziell

CD34

a Hör zu und sprich nach.

08:30   09:20   11:15   12:33

13:45   20:10   21:56

CD35

b Hör zu und notiere die Uhrzeiten. Lies vor.

Denk nach

	Position 2	
Der Unterricht	**beginnt**	um halb neun.
Um halb neun	**beginnt**	der Unterricht.
Die Mittagspause	...	...
Um 13 Uhr	...	...

6 Dein Schultag

Schreib einen Text wie Lea.

Ich habe ... Tage Schule, von ... bis ...
Ich stehe um ... auf.
Ich bin von ... bis ... in der Schule.
Von ... bis ... habe ich Unterricht/Mittagspause.
Um ... Uhr bin ich zu Hause.

Land und Leute

Gesamtschule: In Deutschland gehen die Schüler nach der Grundschule (4 Jahre) auf weiterführende Schulen. Es gibt drei Arten: die Hauptschule (bis Klasse 9 oder 10), die Realschule (bis Klasse 10) und das Gymnasium (bis Klasse 12 oder 13). In einer Gesamtschule sind alle drei Schularten in einer Schule zusammen und die Schüler besuchen unterschiedliche Kurse.

7

Leas Stundenplan

Lest und klärt die Wörter.

> Samstags und sonntags habe ich Freizeit. Da habe ich keine Schule.

Stunde	Uhrzeit	Montag	Dienstag	Mittwoch	Donnerstag	Freitag
1	7.45		Lernen mit Claudia		Fitness-AG	
2	8.30	Kunst	Französisch	Französisch	Englisch	Französisch
3	9.15		Musik	Geschichte		
Pause	10.00					
4	10.20	Französisch	Mathematik	Englisch	Sport	Mathematik
5	11.05	Deutsch	Hausaufgaben-betreuung	Deutsch		
Pause	11.50					
6	11.55	Sport	Englisch	Biologie	Deutsch	Geschichte
Mittags-pause	12.40					
7	13.40	Hausaufgaben-betreuung	Erdkunde		Mathematik	Erdkunde
8	14.30	Video-AG	Internet-AG		Ethik/Religion	Klassen-AG
9	15.15					

8

CD 36

Lange und kurze Vokale

Schreib die Wochentage ins Heft. Hör zu und sprich nach. Markiere die Vokale: lang _ oder kurz .

am Montag • am Dienstag • am Mittwoch •
am Donnerstag • am Freitag • am Samstag •
am Sonntag

> **Denk nach**
>
> der Montag ▶ am Montag ▶ montags
> der Mittwoch ▶ ... ▶ ...
> S... und s... hat Lea keine Schule.

9

Schultage

a Leas Schultag – Fragt und antwortet.

b Euer Schultag – Fragt und antwortet.

Wann stehst du auf?

Um sieben. Wann gehst du zur Schule?

Um halb acht. Wann hast du ...?

Wann hat Lea Sport?

Am Montag und Donnerstag.

Um wie viel Uhr hat sie ...?

Wie viele Stunden hat sie montags?

Der Wortakzent

a Schreib die Wörter. Hör zu und sprich nach. Markiere den Wortakzent.

Französisch • Englisch • Musik • Mathematik • Mathe • Erdkunde • Geschichte • Biologie • Bio • Religion • Fitness-AG • Internet-AG • Physik

CD 38

b Welches Wort hörst du?

Englisch – Musik
Erdkunde – Geschichte
Fitness-AG – Mathematik
Religion – Französisch
Mathe – Physik

> Mathe mag ich nicht, aber Bio ist super.

Lieblingsfächer

CD 39

a Was mag Lea? Hör zu und notiere.

b Und ihr? Sprecht in der Klasse.

▶ Magst du Sport?
▶ Ja, sehr, und du?
▶ Ich hasse Sport! Ich mag Mathe.
▶ Mathe mag ich nicht, aber Bio ist super.
▶ Na ja, es geht. Ich …

Lernen lernen

Notiere die W-Fragen in Listen. Auf der Vorderseite deine Sprache und auf der Rückseite Deutsch.

Wie?
What's your name?
What time is it?
How long are you at school?
How many lessons do you have?

Wie?
Wie heißt du?
Wie viel Uhr ist es?
Wie lange hast du Schule?
Wie viele Stunden hast du?

Wann?
What time do you get up?
When do you have German?
When do you come home?

Wann?
Wann stehst du auf?
Wann hast du Deutsch?
Wann kommst du nach Hause?

Phonetik: ü

CD 40 **a Hör zu.**

m<u>ü</u>de m<u>ü</u>de m<u>ü</u>de
Sprich ein iiiiiiiiiiiiii. Jetzt mach den Mund rund: üüüüüü.

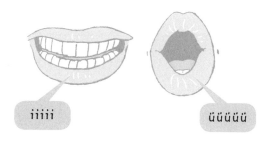

iiiii üüüüü

CD 41 **b Hör zu und sprich nach.**

iiiiiiiiiiiiiiüüüüüüüüüü • iü • iü • iü

CD 42 **c Hör zu und sprich nach.**

Müde

CD 43

Es ist sechs Uhr.
Mein Wecker klingelt.
Und es schrillt mein Telefon.
O.k., o.k., ich stehe auf.
O.k., o.k., ich komme ja schon.

Ich bin müde, müde, müde.
Ich mach den Wecker aus.
Ich bin müde, müde, müde.
Ich bleib heut zu Haus.

Viertel nach sechs.
Mein Wecker klingelt.
Mama ruft: Wann stehst du auf?
O.k., o.k., ich komm ja schon.
O.k., o.k., ich steh schon auf.

Ich bin müde, müde, müde.
…

Es ist halb sieben.
Papa ruft: Du kommst zu spät!
Und wieder schrillt das Telefon.
O.k., o.k., ich stehe auf.
O.k., o.k., ich komm ja schon.

Die Uhrzeit erfragen/sagen

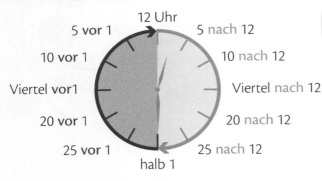

12 Uhr
5 vor 1 · 5 nach 12
10 vor 1 · 10 nach 12
Viertel **vor** 1 · Viertel nach 12
20 vor 1 · 20 nach 12
25 vor 1 · 25 nach 12
halb 1

Wie viel Uhr ist es?

Es ist halb acht.

Über Uhrzeiten und Tageszeiten sprechen: Tagesablauf

Wann beginnt der Unterricht?
Wann ist der Unterricht zu Ende?
Um wie viel Uhr kommst du nach Hause?
Wann hast du Mathe?

Um halb neun.
Um 16 Uhr. / Um vier Uhr nachmittags.
Um fünf.
Montags, mittwochs und freitags.
Am Montag, am Mittwoch und am Freitag.

am Morgen	am Vormittag	am Mittag	am Nachmittag	am Abend	in der Nacht
morgens	vormittags	mittags	nachmittags	abends	nachts

Außerdem kannst du ...

... einen Text über den Schultag verstehen.
... einen Text über die Schule schreiben.

Grammatik   kurz und bündig

Fragen und Antworten mit Zeitangaben

Position 1	Position 2: Verb	
Um wie viel Uhr	beginnt	der Unterricht?
Der Unterricht	beginnt	um 8 Uhr 30.
Wann	hast	du Mathe?
Ich	habe	montags und freitags Mathe.
Montags und dienstags	habe	ich Mathe.

Präpositionen: Zeit

um	Die Schule beginnt um acht.
	Die Mittagspause beginnt um ein Uhr.
von ... bis ...	Wir haben von Montag bis Freitag Schule.
	Die Pause ist von 12 Uhr 40 bis 13 Uhr 40.
am	Am Samstag ist keine Schule.
	Am Sonntag lerne ich nicht.

Ich stehe um vier Uhr auf.

Hobbys

Ich mache nicht gerne Sport, ich sehe gerne fern.

Das lernst du

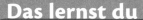

- ★ Über Hobbys sprechen
- ★ Eine Verabredung machen
- ★ Sagen, was du kannst und nicht kannst
- ★ Um Erlaubnis fragen
- ★ Eine Statistik lesen und beschreiben

Kannst du Beach-volleyball spielen?

Ich mache gerne Musik.

Ich kann ein bisschen Diabolo spielen.

1

CD 44

Freizeit

a Hör zu und lies.

▶ Mama, ich gehe zu Hannes.
▶ Und die Hausaufgaben? Bist du fertig?
▶ Ja.
▶ Ganz fertig?
▶ Na ja, morgen habe ich kein Englisch. Die Wörter lerne ich morgen.
▶ Ja, ja, morgen, morgen und nicht heute …
▶ Tschüs.

b Hör zu. Richtig oder falsch?

1. Jens hat alle Hausaufgaben fertig.
2. Jens lernt jetzt Englisch.
3. Jens geht zu Hannes.
4. Die Mutter ist zufrieden.

2

CD 45

Hobbys

a Hör zu und such das richtige Bild.

1 Musik hören

5 reiten

9 Schlagzeug spielen

13 Flöte spielen

2 jonglieren

6 fernsehen

10 singen

14 malen

3 Fahrrad fahren

7 Karten spielen

12 tanzen

15 telefonieren

4 schwimmen

8 Schi fahren

11 Computerspiele spielen

16 kochen

17 basteln

b Hör zu und sprich nach.

CD 46

c Mach das Buch zu. Hör die Geräusche und sag die Hobbys.

d Was ist dein Hobby?

Basketball.

Schwimmen.

3

CD 47

A

▶ Ja, gerne. Um wie viel Uhr?
▶ Prima, ich hole dich um sieben ab.
  Der Film fängt um acht an.

Was machst du gerne?

a Hör den Dialog. Wie endet der Dialog? Wie in A oder wie in B?

▶ Hallo, Lukas!
▶ Hallo, Eva, wie geht's?
▶ Ganz gut. Sag mal, was machst du denn so am Wochenende?
▶ Ich mache gerne Sport, ich fahre Skateboard oder ich gehe schwimmen, und du?
▶ Ich mag Musik und sehe gerne fern. Ich sehe gerne Krimis! Und ich gehe gerne ins Kino.
▶ Oh, ich gehe auch gerne ins Kino. Morgen Abend kommt „King Kong", kommst du mit?

B

▶ Morgen Abend habe ich keine Zeit. Da kommt „Wetten, dass …?". Das sehe ich immer. Vielleicht ein anderes Mal.
▶ Schade.

b Was machen Eva und Lukas gerne?

Eva: Musik hören

c Was machst du gerne? Schreib 5 Sätze.

Ich lese gerne.
Am Wochenende sehe ich gerne fern.
Abends …

Denk nach

fern	sehen	Ich sehe (gerne) fern.
mit	kommen	Ich komme (nicht) mit.
ab	holen	Ich hole dich …
an	fangen	Der Film fängt …
Musik	hören	Ich höre … .

4

CD 48

Sprechen üben

a Hör zu und sprich nach.

fernsehen
Ich sehe fern.
Ich sehe gerne fern.
Ich sehe abends gerne fern.
Ich sehe abends nicht gerne fern.

abholen
Ich hole dich ab.
Ich hole dich morgen Abend ab.
Ich hole dich morgen Abend um acht ab.
Ich hole dich morgen Abend um acht zu Hause ab.

b Mach weiter.

mitkommen   Ich komme mit. Ich komme … mit.   heute – nicht – gerne
                   Kommst du mit? Kommst du … mit?   morgen – um fünf Uhr
Musik hören   Ich höre Musik. Ich höre … Musik.   gern – abends

5 Verabredungen

Schreibt und spielt kleine Dialoge.

▶ Was machst du am Wochenende?
▶ Ich spiele Volleyball. Kommst du mit?
▶ Nein, ich habe keine Lust.
▶ Schade.

Ich gehe ins Kino / in die Stadt …
Ja, gerne. / Ja, vielleicht. / Ich weiß noch nicht.
Nein, ich habe keine Zeit.
Prima, ich hole dich ab.
Prima, kommst du um … Uhr?

6 Phonetik: *ö*

CD 49 **a Hör zu.**
die Flöte hören
Ich höre die Flöte.

Sehr schön!

Du sprichst ein „e" und machst den Mund rund: „ö".
eeeeeeeeee ööööööööö
eeeee öööööö eö eö eö

CD 50 **b Hör zu und sprich nach.**

die Flöte.	höre die Flöte.	Ich höre die Flöte.	
die Flöte?	du die Flöte?	Hörst du die Flöte?	Hörst du die Flöte auch?
Flöten	mögen Flöten	Wir mögen Flöten.	Wir mögen Flöten sehr.

7 Hören und verstehen: Was ist dein Hobby?

CD 51 **a Hör zu und notiere: Was machen sie gerne?**

b Erzähl in der Klasse.

… liest gerne Pferdebücher …

… Hobby sind Pferde.

… fährt gerne Skateboard …

Miriam

Tom

Sascha

Linda

Denk nach

ich	fahre	sehe	lese	spreche
du	fährst	siehst	liest	sprichst
er/es/sie	f…hrt	sieht	l…st	spr…cht

Land und Leute

In Deutschland sind viele Jugendliche Mitglied in Sportvereinen. Sie trainieren Fußball, Tennis und andere Ballsportarten, machen Turnen und Leichtathletik oder spielen Schach und nehmen mit ihrem Verein an Wettkämpfen teil.

8 Interviews

a Fragt in der Klasse.

> Spielst du Klavier?

> Nein, ich spiele nicht Klavier, ich spiele Computerspiele.

> Fährst du Skateboard?

> Ja, ich fahre gerne Skateboard.

Siehst du ...?   Gehst du ...?   Sammelst du ...?   Bastelst du gern?

b Kettenspiel: lange Sätze bauen.

> Ich sehe gerne fern, und du, Marie?

> Ich gehe gerne ins Kino und Linda sieht gerne fern, und du, Marius?

> Ich fahre gerne Fahrrad, Linda sieht gerne fern und Marie geht gerne ins Kino, und du, ...?

> ...

9 Was machen deutsche Jugendliche in der Freizeit?

a Lies die Grafik. Vier Zahlen fehlen. Was meinst du: Welche Zahlen passen wo?

18 % 27 % 57 % 8 %

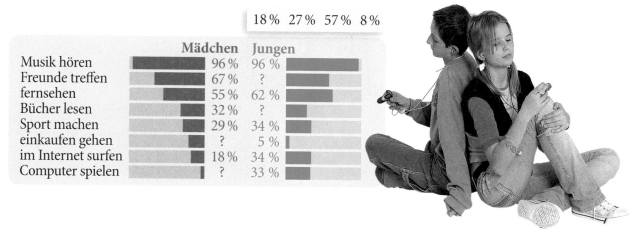

	Mädchen	Jungen
Musik hören	96 %	96 %
Freunde treffen	67 %	?
fernsehen	55 %	62 %
Bücher lesen	32 %	?
Sport machen	29 %	34 %
einkaufen gehen	?	5 %
im Internet surfen	18 %	34 %
Computer spielen	?	33 %

b Sprecht über die Statistik.

Mädchen:
67 % (Prozent) ... gerne ...
55 % ... gerne ...
32 % ... gerne ...
29 % machen gerne ...
27 % ... gerne.
18 % ... gerne ...
Nur ... gerne ...

> Fast alle Mädchen und Jungen hören gerne Musik.

c Vergleiche und ergänze die Sätze.

> Jungen spielen gerne am Computer (33 %). Mädchen spielen nicht so gerne am Computer (nur 8 %).
> Mädchen ... gerne ... (32 %).
> Jungen ... (nur 18 %).
> Mädchen ... gerne ... (27 %).
> Jungen ...

d Und ihr? Macht Interviews und eine Statistik.

10 Das kann ich

a Ordne zu. Welcher Satz passt zu welchem Bild?

1. Kannst du Einrad fahren?
2. Ich kann Einrad fahren, singen und jonglieren.
3. Dennis kann kochen.
4. Könnt ihr die Wörter?
5. Lisa und Robin können Skateboard fahren.
6. Wir alle können schon ein bisschen Deutsch!

Denk nach

können	
ich/er/sie/es	kann
du	kann...
wir/sie/Sie	können
ihr	könn...

b Schreib Sätze zu den Bildern: Was können sie (gut)? Was können sie nicht (so gut)?

Lisa

Lukas

Eva

Beate und Marco

Tanja

Tom und Tania

11 **Wer kann was?**

a Macht eine Umfrage in der Klasse.

Kannst du (gut) kochen?	Ja, ich kann (gut) …	Nein, ich kann nicht …
Könnt ihr (gut) jonglieren?	Ja, wir können (gut) …	Nein, wir können nicht …

toll/super
sehr gut
gut

ein bisschen
nicht so gut
nicht

b Berichtet in der Klasse. Die anderen raten, wer es ist.

▶ Sie kann gut …, aber sie kann nicht … Wer ist es?

▶ Das ist Anne.

▶ Richtig.

▶ Er kann sehr gut … und er kann ein bisschen …

c Das mache ich gerne, das kann ich gut.
Schreib einen Text mit 20–30 Wörtern.

12 **Kann ich mitspielen?**

CD 52

a Hör zu und lies.

▶ Kann ich mitspielen?

▶ Ja, klar. Kannst du Volleyball spielen?

▶ Ja, ein bisschen.

▶ Und du? Spielst du auch mit?

▶ Ich weiß nicht.

▶ Komm schon, wir beißen nicht.

▶ Blödmann! Aber ich kann nicht so gut spielen.

▶ Das macht nichts. Wir spielen ja nur zum Spaß.

▶ Okay, ich komme.

Kann ich
mitspielen?

b Sprecht den Dialog in drei Gruppen. Könnt ihr gleichzeitig mit der CD sprechen?

c Macht Dialoge und spielt sie vor.

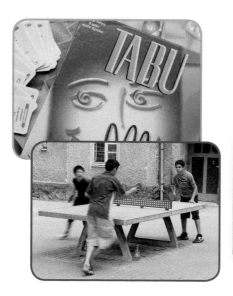

Lernen lernen

Wörter mit Personen lernen
Wer macht was gerne? Fragt in der Klasse.

Miriam spielt gerne
Computerspiele.

Sagen, was du (nicht) gerne machst

Ich höre (nicht) gerne Musik.
Am Wochenende sehe ich (nicht) gerne fern.

Sagen, was du (nicht) kannst

Ich kann (gut) jonglieren.
Ich kann nicht (so gut) kochen.

Eine Verabredung machen

Was machst du am Wochenende?
Ich gehe ins Kino, kommst du mit?
Ja, gerne, ich hole dich um 8 Uhr ab.
Nein, ich habe keine Zeit. / Nein, ich habe keine Lust.

Um Erlaubnis fragen

Kann ich mitspielen?
Kann ich ins Kino gehen?

Über eine Statistik sprechen.

96 Prozent hören gern Musik.

Außerdem kannst du ...

... eine Statistik verstehen.
... über deine Hobbys schreiben und schreiben was du (gut/nicht gut) kannst.

Grammatik kurz und bündig

Verben mit Vokalwechsel: a → ä, e → i

Infinitiv	fahren	lesen	sehen	sprechen
ich	fahre	lese	sehe	spreche
du	fährst	liest	siehst	sprichst
er/sie	fährt	liest	sieht	spricht
wir	fahren	lesen	sehen	sprechen
ihr	fahrt	lest	seht	sprecht
sie/Sie	fahren	lesen	sehen	sprechen

Modalverb können

können
kann
kannst
kann
können
könnt
können

> Verben mit Vokalwechsel immer mit der 3. Person Singular lernen.

Wortstellung im Satz

Sätze mit können

	Position 2		Ende
Ich	kann		jonglieren.
Ihr	könnt	nicht	jonglieren.
Sie	kann	sehr gut Einrad	fahren.
	Kannst	du gut Gitarre	spielen?

Sätze mit trennbaren Verben: fern‹‹sehen und Verben + Nomen/Adjektiv ...: Musik hören

	Position 2		Ende
Sie	sehen	gerne	fern.
Lea	steht	um halb sieben	auf.
	Kommst	du	mit?
	Bist	du	fertig?
Ich	fahre	gerne	Rad.

lesen ... sie lies...

Meine Familie

meine Großeltern

mein Großvater (Opa)

meine Großmutter (Oma)

Das lernst du

★ Ein Bild beschreiben
★ Über Familien sprechen
★ Einen Text über Familien verstehen
★ Über Berufe sprechen

andere Verwandte

meine Tante

mein Onkel

meine Eltern

meine Mutter und mein Vater

ICH

Das ist meine Schwester. Ihr Hamster heißt Dal.

meine Cousine

meine Schwester

mein Bruder

mein Cousin

meine Geschwister

1

CD 53

Wer ist … ? Wo ist …?

a Hör zu. Lies den Dialog.

▶ Wer ist das da?
▶ Wo?
▶ Da vorne.
▶ Das ist mein Bruder.
▶ Wie heißt er?
▶ Sascha.
▶ Wie alt ist er?
▶ Neunzehn.
▶ Hm, sympathisch …
▶ Er studiert schon. Er wohnt nicht zu Hause.

▶ Und wer ist das da hinten links?
▶ Das ist Sabine. Sie ist meine Cousine.
  Sie ist sehr nett.
▶ Und wo ist deine Schwester?
▶ Sie ist nicht auf dem Foto.

b Sammle weitere Fragen.

Alter, Wohnort, Hobbys

Wie alt ist …? Was macht …?
Was studiert …? Wo …?

2

CD 54

Phonetik – Die Endungen *-er* und *-e*

a Hör zu. Markiere den Wortakzent: lang _ oder kurz .

A   die Mutter – der Vater – der Bruder – die Schwester – die Geschwister
B   die Tante – die Cousine – zu Hause – vorne – der Onkel – hören – hinten

b Hör zu und sprich nach.

-er: Du sprichst kein r. Du sprichst ein schwaches a.
-e: Du sprichst das e ganz schwach: e.

c Lies die Sätze laut.

Wie heißen deine Geschwister? Da vorne ist meine Tante Sabine. Meine Schwester wohnt zu Hause.

3

Familienfotos

Bringt Familienfotos mit.
Spielt Dialoge wie in 1.

Ist das dein Bruder?

Und wo ist dein Hund?

4 **Julian erzählt**

a Was stimmt nicht? Lies und vergleiche mit dem Bild.

Vorne rechts sitzt mein Bruder, er heißt David und ist acht Jahre alt. Sein Hobby ist Radfahren. Meine Schwester Beate sitzt vorne links. Sie ist 16 und mag Mode und Schminken. In der Mitte sitzen unsere Oma und unser Opa, sie sind beide 65. Sie sind Rentner. Meine Mutter steht hinten rechts. Sie arbeitet als Sekretärin bei Adidas. Ihr Hobby ist der Garten. Der Mann hinten links ist mein Vater. Sein Lieblingssport ist Fußball. Unser Papagei Cony ist auch auf dem Bild. Wo ist er?

b Korrigiere und lies den Text richtig.

5 **Possessivartikel – Ein Kettenspiel**

a Die „der"-Kette

Ich ...

Ich und mein Bruder. Wir ...

Wir und unser Hund. Du ...

Du und dein Bleistift. Sie ...

Denk nach

ich	mein Vater	der	mein Vater
du	dein	das	mein Buch
...	sein	die	meine Mutter
...	ihr		
...	unser	die	meine Eltern

Genauso könnt ihr die „das"-Kette und die „die"-Kette spielen.

CD 55 **b Ich und mein Vater – Hör zu und mach mit.**

6 Suchen

CD 56

Ergänze den Dialog.

▶ Was ist denn hier los?
 Julian, ist das … Deutschbuch?
▶ Nein, das ist das Buch von Beate, … Buch ist da.
▶ Und wo ist … Schultasche?
▶ … Schultasche? Ich weiß es nicht.
▶ Dann such sie! Und wo ist Beate? Ist das … Rucksack?
▶ Nein. Das ist Papas Rucksack. Ihr Rucksack liegt da.

Denk nach

Beates	Buch	ihr	Buch
Papa…	Rucksack	sein	Rucksack

7 Sprechen üben

CD 57

a   **Hör zu. Wie sprechen die Mutter und Julian?**

freundlich   ärgerlich   müde

b   **Hör noch einmal und sprich nach.**

c   **Spielt Minidialoge wie in 7a.**

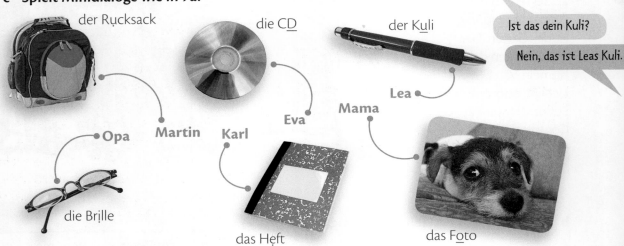

der Rucksack   die CD   der Kuli

Ist das dein Kuli?

Nein, das ist Leas Kuli.

Lea

Eva   Mama

Opa   Martin   Karl

die Brille

das Heft   das Foto

8 Die Neumanns – Maries Familie

CD 58

a   **Hör zu. Welche Bilder passen zum Text?**

b   **Hör noch einmal. Was kannst du über Maries Familie sagen?**

 c   **Was kannst du über deine Familie sagen?**

9

CD 59

Familienreime – Ein Gedicht

a Finde die Reimwörter.

kochen • Spaghetti • Cola • Exot • Paul • Lena • Jazz • Tennis

Mein Papa heißt Dennis.
Meine Mama heißt Tess.
Mein Bruder heißt …
Meine Schwester heißt Lola.
Mein Opa heißt Jochen.
Meine Oma heißt …
Meine Hündin heißt Betty.
Mein Kater heißt …

Er mag Judo und …
Sie mag HipHop und …
Er mag Ruh und ist faul.
Sie isst Pizza und trinkt …
Er kann essen, aber nicht …
Sie wohnt jetzt in Jena.
Sie frisst gern …
Er ist feuerrot.

b Sprecht das Gedicht laut. Immer zwei Schüler eine Zeile.

c Schreib das Gedicht weiter: Tino – Kino, Mick – schick, Rolf – Golf …

10

Familien in Deutschland

a Lies den Text und finde zu jedem Foto einen Satz.

Land und Leute

Die Familien in Deutschland sind meistens nicht sehr groß. Im Durchschnitt hat eine Familie heute 1,3 Kinder. Nur wenige Familien haben drei oder mehr Kinder. Es gibt auch immer mehr nicht verheiratete Paare mit Kindern. Die Großeltern leben meistens nicht im Haus. Viele Ehen sind geschieden. Das heißt, die Eltern leben nicht mehr zusammen und die Kinder wohnen bei der Mutter oder beim Vater.

b Was ist richtig? Was ist falsch?

1. Drei Kinder oder vier, das ist normal.
2. Die Familien sind klein.
3. Viele Kinder haben keinen Bruder und keine Schwester.
4. Großeltern und Enkel leben zusammen.
5. Viele Kinder haben keine Eltern.
6. „Geschieden" bedeutet: Die Ehe ist zu Ende.

c Wie ist es in deinem Land? Wie groß sind die Familien? Wo leben die Großeltern? …

11 **Berufe**

CD 60

a Hör zu und lies den Dialog.

▶ Was ist deine Mutter von Beruf?

▶ Sie ist Verkäuferin. Und deine Mutter?

▶ Krankenschwester, aber sie ist zurzeit arbeitslos.

b Was sind die Leute von Beruf? Ordne die Bilder den Wörtern zu.

Architekt • Lehrerin • Automechanikerin •
Verkäufer • Sekretärin • Tierarzt •
Informatikerin • Fußballspieler

Denk nach

Männer	Frauen
Lehrer	Lehrerin
Verkäufer	Verkäufer...
Polizist	Polizist...

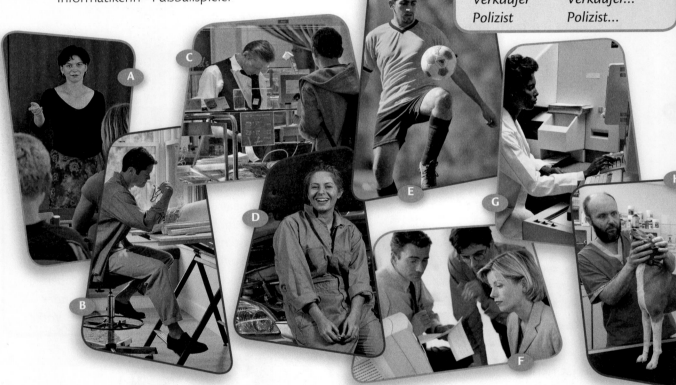

12 **Wortakzent**

CD 61

a Schreib die Wörter. Hör zu und markiere den Wortakzent: lang _ oder kurz .

A	B	C
Lehrerin	Polizistin	Sekretärin
Verkäufer	Managerin	Mechaniker
Architekt	Elektriker	Deutschlehrerin

Lehrerin
Polizistin

CD 62

b Du hörst je ein Wort aus Gruppe A, B und C. Welches Wort hörst du?

Gruppe A:

Verkäufer.

Richtig!

mm**m**

m**m**m

c Probier es aus. Die anderen raten.

13 Interviews

a Sammelt Berufe. Arbeitet mit dem Wörterbuch.

> Was ist dein Vater (deine Mutter, deine Oma ...) von Beruf?

> Mein Vater ist Busfahrer. Und dein Vater?

b Fragt in der Klasse.

c Macht ein Klassenposter: Berufe.

d Umfrage: Was ist dein Traumberuf?

> Mein Traumberuf ist Tennisspieler! Ich kann gut Tennis spielen.

> Mein Traumberuf ist Koch. Ich esse so gern! Ich kann auch gut kochen.

14 Rätsel

CD 63

a Hör zu. Welche Berufe sind das?

b Welche Berufe sind hier versteckt?

KERTERELIK

HEILNERR

RARZETIT

GARAMEN

Lernen lernen

- Schreib einen Text oder Dialog aus dem Buch ab.
- Kopiere den Text. Jetzt kannst du Wörter löschen, z.B. alle Verben, alle Nomen oder die Hälfte von jedem 3. Wort.
- Ihr könnt eure Computerübungen in der Klasse tauschen.

```
Vorne rechts sitzt mein Bruder, er heißt
Da___ und ist ac__ Jahre alt. Se__ Hob-
by ist Radf_____. Meine Schwester Be___
sitzt vo___ links. S__ ist sech_____ und
mag Mo___ und Schminken. In der Mi___ sitzen
unsere O__ und unser O__, sie sind be____
fünfundsechzig. Meine Mut____ steht hin-
ten re___. Sie arbeitet a__ Sekretärin bei
Adidas. Ihr Hobby ist der Garten. Der Mann
hinten links i__ mein Vater. Se__ Lieblings-
sport ist Fuß____. Unser Papagei Co__ ist
auch a__ dem Bild. Wo ist er?
```

Ein Bild beschreiben

Wer ist das da auf dem Bild?

Wer ist das da links (rechts, in der Mitte, vorne, hinten)?

Ist deine Schwester da vorne?

Das ist mein Bruder, er …

Das ist meine Mutter, sie …

Nein, sie ist ganz hinten. / Nein, sie ist nicht auf dem Foto.

Über Familien sprechen

Wie heißt dein Vater/deine Mutter?

Wie alt sind deine Geschwister/Großeltern?

Wo wohnen sie?

Was machen sie gern?

Wie alt ist dein Bruder/deine Schwester?

Was ist sein/ihr Hobby?

Er/Sie heißt …

Er/Sie ist / Sie sind beide … Jahre alt.

Sie wohnen in …

Mein Vater spielt gern … und meine Mutter …

Berufe erfragen, über Berufe sprechen

Was ist deine Mutter von Beruf?

Was ist dein Traumberuf?

Außerdem kannst du …

… ein Klassenposter zum Thema „Berufe" machen.

… mit dem Wörterbuch arbeiten.

Meine Mutter ist Zirkusartistin.

Grammatik kurz und bündig

Possessivartikel: Nominativ

	Maskulinum	Neutrum	Femininum	Plural
ich	**mein** Vater	**mein** Buch	**meine** Oma	**meine** Eltern
du	**dein** Bruder	**dein** Pferd	**deine** Tasche	**deine** Großeltern
er	**sein** Hund	**sein** Lineal	**seine** Schwester	**seine** Hobbys
sie	**ihr** Onkel	**ihr** Hobby	**ihre** CD	**ihre** Tiere
wir	**unser** Opa	**unser** Heft	**unsere** Tafel	**unsere** Bücher

Possessiv -s

Maskulinum	Femininum
Papa	Mama
Papa**s** Rucksack / sein Rucksack	Mama**s** Rucksack / ihr Rucksack

Nomen: Berufe

Maskulinum	Femininum
der Lehrer	die Lehrer**in**
der Verkäufer	die Verkäufer**in**
der Architekt	die Architekt**in**

die Spielkonsole

die Handy-karte

das Handy

1 Euro 30.

der Apfelsaft

Das lernst du

★ Sagen, was etwas kostet
★ Sagen, was man haben möchte
★ Sagen, was man gut/nicht gut findet
★ Informationen in einem
   Text finden

LOTTO TOTO SPIEL 77

DER STURM

die DVD

Pferde

das Pferdebuch

Wie viel kostet die Yam?

die Computer-zeitschrift

die Jugendzeitschrift

der MP3-Player

30 Euro für ein Computerspiel. Das ist aber teuer!

1 **Was machst du gerne?**
Schreib auf und lies vor.

ins Kino gehen

fernsehen

Jugendzeitschriften/
Bücher lesen

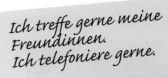
Ich treffe gerne meine Freundinnen.
Ich telefoniere gerne.

einkaufen gehen

Freunde/Freun-
dinnen treffen

telefonieren

Karten spielen

Musik hören/
machen

Cola trinken

Süßigkeiten essen

Sport machen

in die Stadt gehen

2 **Sprechen üben**

CD 64

Hör zu und sprich nach.

ins <u>Ki</u>no gehen	Ich gehe gerne ins <u>Ki</u>no.	Gehst du gerne ins <u>Ki</u>no?
<u>Sü</u>ßigkeiten essen	Ich esse gerne <u>Sü</u>ßigkeiten.	Isst du gerne <u>Sü</u>ßigkeiten?
viel telefo<u>nie</u>ren	Ich telefo<u>nie</u>re viel.	Telefo<u>nier</u>st du viel?
<u>Sport</u> machen	Ich mache viel <u>Sport</u>.	Machst du viel <u>Sport</u>?
<u>Freun</u>dinnen treffen	Ich treffe oft meine <u>Freun</u>dinnen.	Triffst du oft deine <u>Freun</u>dinnen?

3 **Gespräch in der Klasse**

a Sprecht zu dritt.

▶ Isst du gerne Schokolade?
▶ Nein, aber ich esse gerne Gummibärchen.
  Triffst du oft deine Freunde?
▶ Ja, und ich gehe gern ins Kino. Machst du …

Denk nach

essen			
ich	esse	wir	e…
du	isst	ihr	esst
er/es/sie	i…	sie/Sie	e…

b Berichtet.

Beate isst nicht gerne
Schokolade, aber …

Alex trifft oft seine
Freunde und er …

4

Wünsche

a Was möchtest du gerne haben? Sammle Wörter.

einan Hund
ain Pferdebuch
ain T-Shirt
aine DVD

Wie heißt [T-Shirt] auf Deutsch?

T-Shirt, das T-Shirt.

b Du hast Geburtstag – Schreib eine Wunschliste.

Meine Geburtstagswünsche

1. ein T-Shirt
2. ein Pferdeposter
3. einen Ferrari
4. ...

> ### Denk nach
> | ich/er/es/sie | möcht... |
> | du | möchtest |
> | wir/sie/Sie | möcht... |
> | ihr | möchtet |
>
> Ich möchte einen Ferrari.

c Macht Interviews.

▶ Was möchtest du gerne haben?
▶ Ich möchte gerne ein Fahrrad, du auch?
▶ Nein, ich habe ein Fahrrad. Ich möchte gerne ein/eine/einen ...

d Berichtet und macht eure Klassenwunschliste an der Tafel.

Buch IIII
Computer HHIIIIII
T-Shirt III

Beate möchte gerne ein Pferdebuch.

Carola, Mehmet und Armin möchten einen Computer.

5 Einkaufen am Kiosk

CD 65

a Hör den Dialog. Was kauft der Junge? Was kosten die Sachen?

▶ Guten Tag, ich möchte eine Computerzeitschrift.

▶ Die „Computer-Bild-Spiele" kostet …

▶ …? Das ist aber teuer! Was kostet die „Computer-Bild"?

▶ Die ist billig. Die kostet nur … .

▶ Dann möchte ich die „Computer-Bild". Und einen Radiergummi, bitte.

▶ Der hier kostet … Cent.

▶ So teuer? Was kostet der da?

▶ … Cent.

▶ Dann kaufe ich den.

▶ Eine „Computer-Bild" und einen Radiergummi – … Das sind … Euro. Und … Cent zurück. Danke.

▶ Danke, tschüs.

▶ Tschüs.

CD 66

b Du hörst zwei Dialoge. Was kaufen die Leute? Was kosten die Sachen? Was macht die Verkäuferin falsch?

die Cola Preis … €

die Handykarte Preis … €

die Zeitung Preis … €

die Computer-Bild Preis … €

der Schokoriegel Preis … €

der Kaugummi Preis … €

6 Sprechen üben

CD 67

Hör zu und sprich nach.

eine Computerzeitschrift	möchte eine Computerzeitschrift	Ich möchte eine Computerzeitschrift.
die da?	kostet die da?	Was kostet die da?
teuer!	aber teuer!	Das ist aber teuer!
einen Radiergummi	und einen Radiergummi	Eine Computer-Bild und einen Radiergummi.

7 Einkaufsdialoge

Variiert und spielt den Dialog von Aufgabe 5 mit Sachen und Preisen von euch.

8 Taschengeld

Lies die Statistik. Macht Interviews in der Klasse.

Deutschland – Jugendliche bis 13 Jahre	
Taschengeld im Monat	10–28 €
von Opa und Oma im Monat	5–10 €
Geld zu Weihnachten	75 €
Geld zum Geburtstag	69 €

Land und Leute

In den deutschsprachigen Ländern bekommen manche Jugendliche auch Geld zum Geburtstag oder zu Weihnachten. Manche müssen vom Taschengeld Kleidung und Schulsachen z.T. selbst bezahlen.

Bekommst du Taschengeld?
Wie viel Taschengeld bekommst du?
Bekommst du von Oma oder Opa Geld?
Bekommst du zum Geburtstag Geld?

Ja. / Nein, aber von Oma / Opa bekomme ich ...
Ich bekomme ... pro Woche / pro Monat.
Nein. / Ja, ... pro Woche / pro Monat.
Ja, ungefähr ... / Nein, zum Geburtstag bekomme ich ...

9 Phonetik – Die Diphtonge *ei, au, eu*

CD 68 **Hör zu und sprich nach.**

ei   eins – zwei – drei – der Preis – die Zeitschrift – mein Bleistift – ich weiß nicht

au   kaufen – der Kaugummi – die Maus – auch – aufstehen – zu Hause

eu   neun – Euro – teuer – der Freund – die Freundin – Deutsch – der Verkäufer

10 Unsere Ausgaben

a Mach deine „Ausgabenliste" für einen Monat. Schreib wie im Beispiel.

Süßigkeiten
Kino 1x
Comics

Ich kaufe oft Süßigkeiten.
Das kostet ungefähr ... pro Monat.
Ich gehe gerne ins Kino. Das kostet ... pro Monat.

b Sprecht in der Klasse und macht eine Klassenstatistik.

Kaufst du gerne Süßigkeiten / Comics / ...?
Wie viel Geld brauchst du für ...?
Brauchst du viel Geld für CDs / DVDs ...?

Ja. / Nein, ich kaufe ...
Ungefähr ... pro Monat / pro Woche.
Ja, ungefähr ... / Nein, aber für ... Und du?

11 Mein Geld reicht nicht! Geld verdienen, aber wie?

a Wie findest du diese Ideen: ☺ ☺ ☹ ?

für Oma/Opa einkaufen

den Rasen mähen

Land und Leute

In Deutschland können Jugend-
liche ab 13 Jahren Geld verdienen.
Sie dürfen aber nur leichte
Arbeiten machen und die
Eltern müssen dazu Ja sagen.

babysitten

Nachhilfe geben

das Auto waschen

Ich finde …	gut / sehr gut / super.	Das ist interessant/langweilig.
Ich finde …	nicht so gut / nicht gut / blöd.	Das mache ich gerne/nicht gerne.
		Das macht Spaß/keinen Spaß.

Ich finde „Rasenmähen" gut.
Das mache ich gerne.

Ich finde „Autowaschen" blöd.
Das ist langweilig.

b Habt ihr eigene Ideen? Sammelt in der Klasse.

12 Texte verstehen

Lernen lernen

Drei Lesestrategien

Schnell lesen: überfliegen
Du liest schnell. Dich interessiert nur: Was ist das Thema?
Möchte ich den Text genau lesen?

Selektiv lesen
Du suchst Informationen. Beispiel „Taschengeld":
Wer bekommt wie viel Taschengeld? Wer hat einen Job?
Wie alt sind die Jugendlichen?

Genau lesen
Du liest langsam. Du fragst: wer, wo, wann, was, wie viel …? Was
verstehst du sofort? Was möchtest du im Wörterbuch nachschlagen?

a **Lies schnell: Was ist das Thema? Wer schreibt die Texte?**
Wo findest du so einen Text?

b **Suche Informationen in den Texten, ergänze die Sätze und beantworte die Fragen.**

Die Jugendlichen sind von … bis … Jahre alt.
Sie bekommen Taschengeld von … Euro bis … Euro.
Wer hat einen Job? Wer ist Schweizer?

c **Lies drei Textteile genau. Schlag Wörter im Wörterbuch nach.**

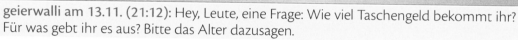

THEMA: TASCHENGELD – Wie viel bekommt ihr?

geierwalli am 13.11. (21:12): Hey, Leute, eine Frage: Wie viel Taschengeld bekommt ihr?
Für was gebt ihr es aus? Bitte das Alter dazusagen.

DarkFire am 13.11. (21:58): Hey! Ich krieg acht Euro pro Woche und bin zufrieden! Ich bin 13.

PJ am 13.11. (23:50): Ich krieg gar kein Taschengeld. Ich bin 16. Ich arbeite.

Sunny am 14.11. (12:35): Hi! Bin 14 und bekomm 20 € Taschengeld! Hab aber auch noch 'nen Job:
Zeitungen austragen. Da bekomm ich 50 € im Monat.

Michi am 14.11. (14:50): Hey! Ich bin 14 und bekomme 30 € pro Monat.

LebHeute am 14.11. (16:07): Ich bin 13 und bekomme 10 € Taschengeld pro Monat! :) Davon kaufe
ich mir dann Zeitschriften. Kleidung, Schulsachen … kauft mir meine Mutter. Mein Taschengeld ist o.k.

LadyPhoenix am 14.11. (16:15): Also, das mit dem Taschengeld ist so: Ich bekomme jedes Jahr etwas
mehr, mit 10 waren es 3 Euro in der Woche und jetzt sind es 7.

redlightspecial am 14.11. (16:40): Ich bin 13 und bekomm 15 Euro im Monat und finde das echt viel.
Ich hab aber nie Geld. Ich kaufe zu viele CDs und die sind teuer, aber das ist mein Problem. Oder ich
gebe das Geld für Kino mit Freunden aus, aber ich bin zufrieden.

katzenmensch am 14.11.05 (17:33): Ich bekomme 12 € im Monat, muss aber nichts zahlen. Ich trage
Zeitungen aus und bekomme da 20–30 € im Monat. Ich bin 13.

CrocodileDundee am 14.11. (17:49): Hi, ich bin 13 und bekomme 45 €. Ich muss 10 € fürs Handy
bezahlen.

geierwalli am 14.11. (19:10): Aha, also ich kauf mir Kleidung und so selbst, aber meine Mama ist so
lieb und kauft mir auch öfter was! Habt ihr auch so Nebenjobs wie Babysitten oder Zeitungaustragen?

Vani13 am 15.11. (16:49): Hi, ich gebe meine 40 Euro im Monat für Kleider oder Schmuck aus.

Luisa am 15.11. (19:05): Ich wohne in der Schweiz, bekomme Franken. 300 Schweizer Franken – das
sind so 195 Euro. Aber ich muss alles zahlen: Kleidung, Schulsachen, Bus, Handy. Ich bin 17.

guilty am 20.11. (17:38): Hey! Ich bin 14 und bekomme 40 Schweizer Franken im Monat, aber das
ist mir viel zu wenig. Ich suche einen Nebenjob. Vom Taschengeld kann ich nichts sparen. Voll blöd!
Meine Oma gibt mir samstags noch was.

geierwalli am 20.11. (20:52): Wow!! Danke, dass ihr so viel schreibt!!! Ich bekomm 10 € im Monat. Mein
Vater ist Arzt und ich helfe beim Putzen in der Praxis. Dafür bekomme ich 8 € und das 4x im Monat!

Sagen, was man haben möchte

Ich möchte die Yam.

Wünsche äußern

Ich möchte gerne einen Computer zum Geburtstag.
eine Uhr zu Weihnachten.

Über Preise sprechen

Was kostet die DVD? 15 Euro. Das ist (aber) teuer.
Wie viel kostet das Buch? (Das kostet) 2 Euro 50. Das ist (aber) billig.

Über Taschengeld sprechen

Bekommst du Taschengeld? Ja. / Nein, aber von … bekomme ich …
Wie viel Taschengeld bekommst du? Ich bekomme … pro Woche/pro Monat.

Sagen, was man gut/nicht gut findet

Ich finde „Rasenmähen" gut. Das macht Spaß/keinen Spaß.
Ich finde „im Haushalt helfen" nicht gut. Das ist interessant/langweilig/super/blöd.

Außerdem kannst du …

… eine Wunschliste schreiben.
… einen Text über „Taschengeld" verstehen.
… ein Gespräch am Kiosk verstehen.
… drei Lesestrategien anwenden.

Ich möchte die „Vamp". Ist die neu?

Grammatik kurz und bündig

Verbformen

Infinitiv	essen	treffen	
ich	esse	treffe	möchte
du	isst	triffst	möchtest
er/es/sie	isst	trifft	möchte
wir	essen	treffen	möchten
ihr	esst	trefft	möchtet
sie/Sie	essen	treffen	möchten

Wortstellung im Satz

	Position 2: Verb		
Was	möchtest	du	(haben)?
Ich	möchte	die „Yam".	
	Möchtest du	einen Comic	lesen?
Lea	möchte	ein Pferdebuch zum Geburtstag.	

Die Nervensäge

CD 69   a   Lies und hör den Comic.
       b   Spielt und variiert die Szene.

Große Pause

Sprechen
Wie schnell könnt ihr sprechen? – Ein Trainingsprogramm zum Schnellsprechen

CD 70

a Eine Verabredung – Hört zu und lest mit.

▶ Hallo, wie geht's?
▶ Danke, ganz gut. Und dir?
▶ Ja, es geht. Was machst du am Wochenende?
▶ Johanna macht eine Party. Sie hat Geburtstag.
▶ Wann?
▶ Am Samstag. Du kannst ja mitkommen.
▶ Echt?
▶ Ja, klar.
▶ Super. Was schenkst du?
▶ Gummibärchen und Schokolade.
▶ Gummibärchen?
▶ Ja, Johanna liebt Gummibärchen.
▶ Mag sie auch Kaugummis? Ich habe Kaugummis aus Amerika.
▶ Na klar.
▶ O.k. Ich komme mit. Holst du mich ab?
▶ Ja, ich hole dich am Samstag um 7 Uhr ab. Die Party fängt um 8 an.

b Sprechtraining

CD 71

Phase 1: Schwierige Wörter sprechen

Hör zu und sprich nach.

Du kannst ja mitkommen.
Was schenkst du?
Gummibärchen?
Johanna liebt Gummibärchen.

Kaugummis aus Amerika.
Holst du mich ab?
O.k. Ich komme mit.
Die Party fängt um 8 an.

Phase 2: Genau sprechen

Sprecht den Dialog sehr langsam und sehr deutlich.

Phase 3: Schnell sprechen

Sprecht den Dialog zu zweit so schnell, wie ihr könnt, und stoppt die Zeit.

Meine Lieblingsgrammatik

Diese Grammatik habt ihr in diesem Buch gelernt.

a Schreibt die Sätze in euer Heft und ergänzt sie.

1. Fragewörter

… wohnst du? … heißt du?

2. Regelmäßige Verben

Wir … zusammen Musik. (machen)
… du ein Musikinstrument? (spielen)

3. Die Verben *sein* und *haben*

Andreas … neu in der Klasse. (sein)
… du ein Haustier? (haben)

4. Akkusativ

Ich habe e… Hund und e… Papagei.
Ich mag mein… Hund sehr. Er heißt Tobi.

5. Trennbare Verben

Lea … um halb sieben … (aufstehen)
Wir gehen am Samstag ins Kino. … ihr …? (mitkommen)

6. Verben *können* und *mögen*

… du Volleyball spielen? (können)
M… dein Freund Fußball? (mögen)

7. Possessivartikel

Das ist m… Schwester. I… Hamster heißt Dal.

8. Verben mit Vokalwechsel

… du gerne Süßigkeiten? (essen)
Ich … meine Freunde jeden Tag. (treffen)

9. Artikel

d… Zeitung – Ich möchte ein… Zeitung.
d… Haustier – Ich habe k… Haustier.

10. Pluralformen

ein Ball, zwei B… – ein Buch, zwei B…

b Was ist eure ☺-Grammatik? Was ist eure ☹-Grammatik?

c Arbeitet zu zweit und macht Aufgaben für euren Partner/eure Partnerin.

Sucht im Buch nach Beispielsätzen:
3 Beispiele für die ☺-Grammatik und 1 für die ☹-Grammatik.
Schreibt die Sätze mit einer Lücke ins Heft, euer Nachbar muss
die Sätze ergänzen.

Seite 23
Hast du Haustiere, Drina?

… du Haustiere,
Drina? (haben)

Seite 58
Ich treffe gerne meine
Freundinnen.

Ich t… gerne meine
Freundinnen. (treffen)

prima A1
Deutsch für Jugendliche
Band 1

Große Pause

Ferien

Ordne die Bilder den Aussagen 1–8 zu.

1. Es ist heiß, fast 35 Grad.
   Wir essen jeden Tag Eis und trinken Cola.
2. Ich bin gern am und im Wasser. Ich schwimme gern. Wir fahren oft ans Meer.
3. Mein Vater fährt Wasserski oder surft, mein Bruder und ich fahren lieber mit dem Boot.
4. Ich fahre nicht weg. Ich treffe oft meine Freunde. Wir gehen ins Schwimmbad und abends manchmal Pizza essen.
5. Ich kann lange schlafen, bis elf oder zwölf. Ich muss nicht zur Schule gehen und aufstehen.
6. In den Ferien habe ich Geburtstag und dann mache ich eine Party. Wir feiern im Garten, grillen, hören Musik. Die Party geht bis Mitternacht.
7. Ich bin in den Ferien oft mit meinen Eltern in den Bergen. Wir wandern in den Alpen.
8. In den Ferien besuche ich meine Oma. Sie hat ein Haus mit Garten. Der Bodensee ist nicht weit weg.

Wortliste

freundlich 6/52
Füller, der, - 2/18
fünf 2/16
fünf nach halb 4/40
fünf vor halb 4/40
fünfzig 2/17
für 3/26
Fußball 1/9
Fußballspieler, der, - 6/54

G

ganz 5/42
gar 7/63
gar kein Taschengeld 7/63
Garten, der, "-n 6/51
Geburtstag, der, -e 7/59
Geburtstagswunsch, der, "-e 7/59
Gedicht, das, -e 6/53
gehen 4/34
Geige, die, -n 5/44
gelb 3/26
Geld, das, nur Sg. 7/61
genau 7/62
genauso 6/51
Geografie, (die), nur Sg. 2/14
Geräusch, das, -e 5/42
gern 2/15
Gesamtschule, die, -n 4/36
geschieden 6/53
Geschichte, (die), nur Sg. 4/37
Geschwister, die, nur Pl. 6/49
Gespräch, das, -e 1/6
Gitarre, die, -n 5/46
glauben 3/22
gleichzeitig 5/47
Grad, der, -e GP/68
Grafik, die, -en KP/31
Grammatik, die, nur Sg. 1/12
Grammatikspiel, das, -e KP/30
grau 3/26
grillen GP/68
Grillparty, die, -s GP/68
groß 3/26
Großeltern, die, nur Pl. 6/49
Großmutter (Oma), die, "- (-s) 6/49
Großvater (Opa), der, "- (-s) 6/49
Grüezi. 1/7
grün 3/26
Gruppe, die, -n KP/29
Gruß, der, "-e GP/69
Grüß Gott! 1/6
Gulasch, der/das, nur Sg. 6/50
Gummibärchen, die, nur Pl. 7/58

gut 1/9
Gute Nacht. 1/5
Guten Abend. 1/5
Guten Morgen. 1/5
Guten Tag. 1/5

H

haben 3/21
halb 4/34
halb sieben 4/34
Hälfte, die, -n 6/55
Hallo. 1/5
Hamster, der, - 3/26
Handy, das, -s 2/13
Handykarte, die, -n 7/60
Handynummer, die, -n 2/13
hassen 2/14
Haus, das, "-er 4/34
Hausaufgabe, die, -n 5/42
Hausaufgabenbetreuung, die, nur Sg. 4/37
Haustier, das, -e 3/21
Heft, das, -e 2/18
heiß GP/68
heißen 1/6
helfen, hilft 6/57
Herr, der, -en 3/25
heute 2/15
heute Nachmittag 2/15
Hey. 7/64
Hi. 1/6
hier 1/6
hinten 6/50
HipHop, nur Sg. 6/53
Hobby, das, -s 5/41
hören 5/42
Hör zu. 1/6
Hotel, das, -s 1/7
Hund, der, -e 3/21
Hündin, die, -nen 6/53

I

ich 1/6
ich mag 1/9
ich möchte 7/57
Idee, die, -n KP/30
Ihnen 1/6
ihr 2/15
im Internet surfen 5/45
im Monat 7/61
im See GP/69
im Wasser GP/68
immer 5/43

in 1/6
in den Bergen GP/68
in den Ferien GP/68
in der Mitte 6/50
Infinitiv, der, -e 3/28
Informatiker, der, - 6/54
Informatikerin, die, -nen 6/54
interessant 7/62
Internet, das, nur Sg. 5/45
Internet-AG, die, -s 4/37
Internet-Chat, der, -s 1/10
Internet-Projekt, das, -e KP/32
Interview, das, -s 5/45
Italien, nur Sg. 1/9

J

Jahr, das, -e 3/21
Jazz, der, nur Sg. 6/53
je KP/31
je eine Zeile KP/31
jeder, -es, -e 4/36
jemand 1/5
jetzt 1/9
Job, der, -s 7/63
jonglieren 2/19
Judo, das, nur Sg. 1/9
Jugendhotel, das, -s 1/7
Jugendliche, der/die, -n 5/45
Jugendzeitschrift, die, -en 7/58
Junge, der, -n 5/45

K

Kanarienvogel, der, "- 3/21
Känguru, das, -s 3/21
Kaninchen, das, - 3/21
Karate, das, nur Sg. 1/9
Karte, die, -n 1/9
Karten spielen 5/42
Kater, der, - 6/53
Katze, die, -n 3/21
kaufen 7/61
Kaugummi, der, -s 7/60
kein, -e 3/23
Keine Ahnung! 2/15
*kennen*lernen 1/5
Kennenlernen, (das), nur Sg. 1/5
Kette, die, -n 6/51
Kettenspiel, das, -e 5/45
Kind, das, -er 6/53
Kino, das, -s 1/9
Kiosk, der, -e 7/60
klären 4/37
Klasse, die, -n 2/13

dreiundsiebzig 73

Klassen-AG, die, -s 4/37
Klassenposter, das, - 6/55
Klassenstatistik, die, -en 7/61
Klassenwunschliste, die, -n 7/59
Klavier, das, -e 5/45
Klavier spielen 5/45
Klebstoff, der, -e 2/18
Kleidung, die, nur Sg. 7/63
klein 3/26
klingeln 4/39
Koch, der, "-e 6/55
kochen 5/42
kommen 1/6
können, kann 5/41
Kontinent, der, -e 3/22
korrigieren 2/14
kosten 7/57
Krankenschwester, die, -n 6/54
kriegen 7/63
Krimi, der, -s 5/43
Kuh, die, "-e 3/21
Kuli, der, -s 2/18
Kunst, (die), nur Sg. 4/37
kurz 2/20
kurz und bündig 1/12

■■ **L** ■■

Lama, das, -s 3/21
Land, das, "-er 1/7
lang 3/22
lange GP/68
langsam 7/62
langweilig 7/62
lassen, lässt 7/65
Laufdiktat, das, -e 2/17
laut KP/31
leben 3/27
Lehrer, der, - 6/54
Lehrerin, die, -nen 6/54
leiden KP/31
leise KP/30
Lernen, das, nur Sg. 4/37
lernen 1/5
Lernkarte, die, -n 2/18
Lernplakat, das, -e KP/29
Lernplan, der, "-e KP/31
Lerntipp, der, -s 3/25
lesen, liest 5/44
Lesestrategie, die, -n 7/63
Leute, die, nur Pl. 1/7
lieb 7/63
lieben GP/66
Lieblingsfach, das, "-er 4/38

Lieblingssport, der, nur Sg. 6/51
Lieblingstier, das, -e 3/23
Lied, das, -er 4/39
liegen 6/52
Lineal, das, -e 2/18
links 6/50
Liste, die, -n 4/38
löschen 6/55
Lücke, die, -n GP/67
Lust, die, nur Sg. 5/44

■■ **M** ■■

machen 1/7
Mach mit. 1/6
Mädchen, das, - 5/45
mähen 7/62
Mal 1/10
malen 5/42
Mama, die, -s 4/39
man 1/8
Managerin, die, -nen 6/54
manchmal GP/68
Mann, der, " er 6/51
Mäppchen, das, - 2/18
markieren 3/22
Mathe, (die), nur Sg. 2/14
Matheheft, das, -e 2/19
Mathematik, (die), nur Sg. 2/13
Maus, die, "-e 3/25
Mechaniker, der, - 6/54
Meer, das, -e GP/68
Meerschweinchen, das, - 3/21
mehr 6/53
mein, meine 2/15
mein Bruder 6/49
meine Eltern 6/49
meine Familie 6/49
meine Geschwister 6/49
meine Schwester 6/49
meistens 6/53
Menü, das, -s 1/8
Million, die, -en 3/27
Minidialog, der, -e 6/52
Minute, die, -n 4/36
mitkommen 5/43
mitmachen 1/6
mitspielen 5/47
Mittag, der, -e 4/40
mittags 4/40
Mittagspause, die, -n 4/33
Mitte, die, -n 6/50
Mitternacht, die, nur Sg. GP/68
Mittwoch, der, -e 4/33

möchte (ich) 7/57
Mode, die, nur Sg. 6/51
mögen, mag 1/9
moin 1/6
Monat, der,-e 7/61
Montag, der, -e 4/33
Morgen, der, - 4/36
morgen 5/42
morgens 4/36
müde 4/34
Mund, der, "-er 4/39
Musik, die, nur Sg. 1/9
Musik hören 5/42
müssen, muss 7/63
Mutter, die, "- 4/34
Muttersprache, die, -n 4/38

■■ **N** ■■

nach 4/33
nach Haus 2/16
nachdenken 1/6
nachsprechen, spricht-
  nach 1/6
Nachhilfe, die, nur Sg. 7/62
Nachhilfe geben 7/62
Nachmittag, der, -e 4/36
nachmittags 4/36
der Nachname, der, -n 1/9
nächste Woche KP/29
Nacht, die, "-e 4/40
nachts 4/40
Name, der, -n 1/9
Nebenjob, der, -s 7/63
nein 2/14
nennen GP/70
nerven GP/65
Nervensäge, die, -n GP/65
nervös KP/31
nett 6/50
neu 2/14
Neue, die, -n 2/14
neun 2/16
neunzig 2/17
nicht 2/14
nicht mehr 6/53
nie 7/63
noch 1/9
noch einmal 2/14
Nomen, das, - 2/19
Nominativ, der, -e 6/56
Nordamerika 3/22
normal 6/53
null 2/16

Nummer, die, -n 3/22
nur 5/45

■■ O ■■
oder 3/26
offiziell 4/37
oft 2/19
okay 5/47
Oma, die, -s 6/49
Onkel, der, - 6/49
Opa, der, -s 6/49
Ordne zu. 1/10
Ort, der, -e 3/22
Österreich 1/9

■■ P ■■
Paar, das, -e 6/53
Papa, der, -s 4/39
Papagei, der, -en 3/23
Party, die, -s 1/10
Pause, die, -n 2/13
Person, die, -en 2/20
Personalpronomen, das, - 1/12
Pferd, das, -e 3/21
Pferdebuch, das, "-er 5/44
Pferdeposter, das, - 7/59
Phonetik, die, nur Sg. 5/44
Physik, (die), nur Sg. 2/19
Pinguin, der, -e 3/26
Pizza, die, -s 6/53
Plakat, das, -e 1/9
Plural, der, nur Sg. 3/25
Pluralform, die, -en 3/25
Polizist, der, -en 6/54
Position, die, -en 1/12
Possessivartikel, der, - 6/51
Postkarte, die, -n GP/69
Postleitzahl (PLZ), die, -en 1/7
Prag, nur Sg. 1/6
Präposition, die, -en 2/20
Praxis, die, nur Sg. 7/63
Preis, der, -e 7/60
prima 5/43
pro Monat 7/61
pro Woche 4/36
Problem, das, -e 7/63
Projekt, das, -e KP/32
Prozent, das, -e 5/45
Putzen, das, nur Sg. 7/63

■■ R ■■
Radfahren, (das), nur Sg. 1/10
Radiergummi, der, -s 2/18

Rap, der, -s 1/6
Rasen, der, - 7/62
Rasen mähen 7/62
Rasenmähen, das, nur Sg. 7/62
raten, rät 1/8
Ratespiel, das, -e 2/18
Rätsel, das, - 6/55
Ratte, die, -n 3/27
Reaktion, die, -en KP/31
rechnen GP/70
rechts 6/50
regelmäßig 3/28
reichen 7/62
Reimwort, das, "-er 3/53
reiten 5/42
Religion, (die), nur Sg. 4/37
Rentner, der, - 6/51
richtig 5/47
riechen KP/31
rot 3/26
Rucksack, der, "-e 2/18
Rückseite, die, -n 2/19
rufen 4/39
Ruhe, die, nur Sg. 6/53
ruhig KP/31
rund 5/44
Rundlauf, der, nur Sg. 5/47
Russland, nur Sg. 2/19

■■ S ■■
Sache, die, -n 7/62
sagen 5/43
Salat, der, -e 3/26
sammeln 4/37
Samstag, der, -e 4/33
samstags 4/37
Satz, der, "-e 1/10
schade 5/43
Schere, die, -n 2/18
Schi fahren, fährt Schi 5/42
schick 6/53
Schildkröte, die, -n 3/21
schlafen, schläft GP/68
Schlagzeug, das, nur Sg. 5/42
Schlagzeug spielen 5/42
schlecht GP/65
Schmetterling, der, -e 3/21
Schminken, das, nur Sg. 6/51
Schmuck, der, nur Sg. 7/63
schnell 7/62
Schokolade, die, -n 7/58
Schokoriegel, der, - 7/60
schon 1/6

schreiben 1/8
schrillen 4/39
Schule, die, -n 2/13
Schüler, der, - 6/53
Schulfach, das, "-er 2/14
Schulfreund, der, -e 2/15
Schulfreundin, die, -nen 2/15
Schulrucksack, der, "-e KP/29
Schulsachen, die, nur Pl. 2/18
Schultag, der, -e 4/33
Schultasche, die, -n 6/52
schwach 6/50
schwarz 3/26
Schweiz, die, nur Sg. 1/10
Schweizer, der, - 7/63
Schweizer Franken 7/64
Schwester, die, -n 6/49
Schwimmen, (das), nur Sg. 1/10
schwimmen 3/25
sehen, sieht 5/43
sehr 1/9
sechs 2/16
sechzig 2/17
sein, ist 1/12
Seite, die, -n 3/22
Sekretärin, die, -nen 6/51
servus 1/6
Sie 1/7
sie 2/14
Sie-Form, du-Form, die, nur Sg. 3/24
sieben 2/16
siebzig 2/17
sich mögen KP/31
singen 5/42
Singular, der, nur Sg. 3/28
sitzen 6/51
Skateboard, das, -s 5/43
Skateboard fahren 5/43
so 4/34
sofort 7/63
sogar GP/69
Sonntag, der, -e 4/33
sonntags 4/37
Spaghetti, die, nur Pl. 6/53
Spaß, der, nur Sg. 5/47
spät 4/34
Spiel, das, -e 1/10
spielen 1/9
Spinne, die, -n 3/21
Spitzer, der, - 2/18
Sport, (der), nur Sg. 2/13
Sprache, die, -n 2/19
sprechen, spricht 5/44

Wortliste

Stadt, die, "-e 1/9
stark 3/26
Start, der, -s/-e KP/30
Statistik, die, -en 5/41
stehen 3/27
stimmen 6/51
stoppen GP/66
Straße, die, -n 1/7
studieren 6/50
Stunde, die, -n 4/33
Stundenplan, der, "-e 4/37
Südamerika 3/22
Süddeutschland 1/7
suchen 6/52
super 1/6
surfen 5/45
süß GP/69
Süßigkeit, die, -en 7/58
sympathisch 6/50
Szene, die, -n GP/65

■■ T ■■

Tabelle, die, -n 2/17
Tafel, die, -n 2/18
Tag, der, -e 4/36
Tagesablauf, der, nur Sg. 4/33
Tageszeit, die, -en 4/33
Tante, die, -n 6/49
tanzen 5/42
Taschengeld, das, nur Sg. 7/61
tauschen 6/55
Telefon, das, -e 2/13
telefonieren 5/47
Telefonnummer, die, -n 2/13
Tennis, (das) 1/9
Tennisspieler, der, - 6/55
Termin, der, -e GP/65
teuer 7/57
Text, der, -e 7/62
Textteil, der, -e 7/63
Thema, das, Themen KP/29
Tier, das, -e 3/21
Tierarzt, der, "-e 6/54
Tiergeräusch, das, -e 3/22
Tiername, die, -n 3/22
Tiger, der, - 3/21
Tischtennis 1/9
toll 5/47
Ton, der, "-e KP/31
Traumberuf, der, -e 6/55
träumen GP/66
treffen, trifft 5/45
trennbar GP/67

trinken 6/53
tschau 1/6
Tschechien, nur Sg. 1/6
Tschüs. 1/5
T-Shirt, das, -s 7/59
tut nicht weh 1/8

■■ U ■■

üben 1/6
über 2/20
überfliegen 7/62
Überschrift, die, -en 3/27
Übung, die, -en 1/10
Uhr, die, -en 2/18
Uhrzeit, die, -en 4/35
um 4/33
um 6 Uhr 30 4/33
um halb neun 4/34
um Viertel nach sieben 4/33
Umfrage, die, -n 5/47
und 1/6
Ungarn, nur Sg. 1/9
ungefähr 7/61
unregelmäßig 3/28
unser, -e 6/51
Unterricht, der, mst. Sg. 2/13
Unterrichtsstunde, die, -n 4/36

■■ V ■■

variieren KP/31
Vater, der, "- 6/49
Verabredung, die, -en 5/44
Verb, das, -en 1/6
verdienen 7/62
vergleichen 5/45
verheiratet 6/53
Verkäufer, der, - 6/54
Verkäuferin, die, -nen 6/54
vermissen KP/31
verschieden KP/31
verstecken 6/55
verstehen 3/21
Verwandte, der/die, -n 6/49
verwenden 3/28
viel 2/15
viel zu wenig 7/63
vielleicht 5/43
vier 2/16
Viertel, das, - 4/33
Viertel vor acht 4/34
vierzig 2/17
Vogel, der, "- 3/24
Vokal, der, -e 3/22

voll 7/63
Voll blöd! 7/63
Volleyball, (das), nur Sg. 1/9
von 4/33
von – bis 4/33
von 8 Uhr 30 bis 16 Uhr 4/33
von Beruf 6/54
von euch 7/61
vor 4/34
Vorderseite, die, -n 2/19
vorgehen KP/30
vorlesen, liest vor 2/14
Vormittag, der, -e 4/40
vormittags 4/40
Vorname, der, -n 1/7
vorne 6/50
vorspielen 5/47
vorstellen 2/15

■■ W ■■

wählen KP/29
wandern GP/68
wann 4/37
war 7/64
was 1/9
Was soll das? GP/65
waschen, wäscht 7/62
Wasser, das, nur Sg. GP/68
Wasser-Ski fahren GP/68
Wecker, der, - 4/39
weg GP/68
weh tun 1/8
Weihnachten, mst. Sg. 7/61
weiß 3/26
weit GP/68
weit weg GP/68
weiter 6/53
weitere Fragen 6/50
weiterlesen, liest weiter GP/65
welcher, -es, -e 1/11
Welt, die, nur Sg. KP/31
wenig 7/63
wer 1/6
Wetten, dass …? 5/43
wie 1/6
Wie geht's? 1/6
Wie geht's Ihnen? 1/6
Wie heißt das auf Deutsch? 2/18
Wie spät ist es? 4/34
wie viel 4/34
wieder 1/6
wiederholen 3/24
Wiedersehen, das, nur Sg. 1/5

wir 1/8
wissen, weiß 5/47
wo 1/6
Woche, die, -n 4/36
Wochenende, das, -n 5/43
Wochentag, der, -e 4/33
woher 1/6
wohin GP/69
wohnen 1/6
Wohnort, der, -e 1/7
Wohnung, die, -en 3/27
Wolf, der, "-e 3/21
Wort, das, "-er 5/42
Wortakzent, der, nur Sg. 2/18
Wörterbuch, das, "er 6/55
Wortliste, die, -n 3/25
Wunschliste, die, -n 7/59
würfeln 1/10

■■ Z ■■

Zahl, die, -en 2/16
zahlen 7/63
zählen KP/32
Zahlengruppe, die, -n 2/16
Zahlenkette, die, -n 2/17
Zahlen-Rap, der, -s 2/16
Zahlenspiel, das, -e 2/17
zehn 2/16
zeigen GP/65
Zeile, die, -n KP/31
Zeit, die, -en 5/43
Zeitangabe, die, -n 4/40
Zeitschrift, die, -en 7/61
Zeitung, die, -en 7/60
Ziel, das, -e KP/30

Zirkel, der, - 2/18
zu 5/42
zu dritt 7/58
zu Ende sein 4/36
zu Hause 4/34
zufrieden 5/42
zuhören 1/6
zum Spaß spielen 5/47
zuordnen 1/5
zur Schule 4/37
zurück 7/60
zurzeit 6/54
zusammen 2/15
zwei 2/16
zweihundert 2/17
zweiundzwanzig 2/17
zwölf 2/16

Buchstaben	Laute	Beispiele
a | aa | ah a	[aː] [a]	Abend | Staat | fahren wann, Bank
ä | äh ä	[ɛː] [ɛ]	spät, Käse | zählen Städte
ai	[ai]	Mai
au	[au]	kaufen, Haus
äu	[ɔy]	Häuser
b | bb -b	[b] [p]	bleiben, Urlauber | Hobby Urlaub
ch chs	[ç] [x] [ks]	ich, möchte, Bücher auch, Buch, kochen sechs, wechseln
d -d | -dt	[d] [t]	danke, Ende, Länder Land | Stadt
e | ee | eh e -e	[eː] [ɛ] [ə]	leben | Tee | sehr gern, wenn bitte, hören
ei	[ai]	klein, frei
eu	[ɔy]	neu, heute
f | ff	[f]	fahren, kaufen | treffen
g | gg -g -ig	[g] [k] [ɪç]	Geld, Tage | joggen Tag fertig, wichtig
h -h	[h] –	heute, Haus Ruhe ['ruːə], sehen ['zeːən]
i | ie | ieh i	[iː] [ɪ]	Kino | lieben | sie sieht Kind
j	[j]	ja
k | ck	[k]	Kaffee | dick
l | ll	[l]	lesen | bestellen
m | mm	[m]	Musik, Name | kommen
n | nn ng nk	[n] [ŋ] [ŋk]	neu, man | können Wohnung, singen Bank
o | oo | oh o	[oː] [ɔ]	schon | Zoo | Sohn Sonne

Buchstaben	Laute	Beispiele
ö | öh ö	[ø] [œ]	sch**ö**n | fr**ö**hlich m**ö**chte
p | pp ph	[p] [f]	**P**ause, Su**pp**e, Ti**pp** Al**ph**ab**e**t
qu	[kv]	**Qu**alit**ä**t
r | rr | rh -er	[r] [ɐ]	**r**ichtig | korr**e**kt | **Rh**ythmus B**u**tt**er**
s s | ss | ß	[z] [s]	**s**ehr, S**o**nne, r**ei**sen R**ei**s | **e**ssen | w**eiß**
sch sp- st-	[ʃ] [ʃp] [ʃt]	Sch**u**le, zwischen **Sp**ort, mit·**sp**ielen **St**adt, ver·**st**ehen
t | tt | th -tion	[t] [tsi̯oːn]	T**i**sch | Kass**e**tte | **Th**e**a**ter Informa**tion**, funk**tion**ieren
u | uh u	[uː] [ʊ]	g**u**t | **U**hr B**u**s
ü | üh ü	[yː] [y]	S**ü**den | ber**üh**mt Gl**ü**ck
v v -v	[f] [v] [f]	**v**iel, **v**erg**e**ssen, **v**erl**ie**bt Aktivit**ä**t akt**iv**
w	[v]	**w**ichtig
x	[ks]	b**o**xen
y y -y	[yː] [y] [i]	t**y**pisch Rh**y**thmus H**o**bb**y**
z | tz	[ts]	**Z**eitung, t**a**nzen | Pl**a**tz

Umschlagfoto – © fotolia, Pavel Losevsky; S. 05, S. 06, S. 07 (oben) – Verlag Fraus / Karel Brož; S. 07 (Mitte) – Lutz Rohrmann; S. 08, S. 09 – Verlag Fraus / Karel Brož; S. 10 (A) – www.photocombo.cz; S. 10 (B, C, E, F) – Verlag Fraus / Karel Brož; S. 10 (D) – SXC / Carol Gale; S. 11 (unten Mitte) – Stadtmarketing Basel; S. 11 (unten links) – Verlag Fraus / Karel Brož; S. 11 (oben links, unten rechts) – Lutz Rohrmann; S. 11 (oben rechts) – Foto Schweiz Tourismus / Top Shots 2001; S. 11 (Mitte rechts) – SXC / Patrick Swan; S. 13, S. 14 – Verlag Fraus / Karel Brož; S. 15 (unten) – www.photocombo.cz; S. 15 (oben), S. 16 (unten) – Verlag Fraus / Karel Brož; S. 16 (oben) – Milena Zbranková; S. 18, S. 19 (oben links, oben rechts, Mitte rechts, unten links) – Verlag Fraus / Karel Brož; S. 19 (unten rechts) – PhotoDisc, Inc.; S. 19 (Mitte links) – Lutz Rohrmann; S. 21 (1, 12, 16) – www.photocombo.cz; S. 21 (2, 4, 5, 7–11, 13–15, 17) – PhotoDisc, Inc.; S. 21 (3) – Corel Professional Photos; S. 21 (6) – ČTK / Vladimír Motyčka; S. 21 (Mitte) – Verlag Fraus / Karel Brož; S. 22 (unten) – Verlag Fraus / Bohdan Štěrba; S. 22 (oben) – PhotoDisc, Inc.; S. 22 (Mitte), S. 23, S. 25 – Verlag Fraus / Karel Brož; S. 26 (Hamster) – ČTK / Vladimír Motyčka; S. 26 (oben) – Corel Professional Photos; S. 26 (Pinguin, Tiger) – www.photocombo.cz; S. 26 (Mitte) – Verlag Fraus / Karel Brož; S. 27 – PhotoDisc, Inc.; S. 29 (1–3) – Verlag Fraus / Karel Brož; S. 29 (Collage) – Milena Zbranková; S. 30 (1–5) – Verlag Fraus / Karel Brož; S. 31 – Lutz Rohrmann; S. 32 – ČTK / Oldřich Věrčák; S. 32 – Foto Schweiz Tourismus / Top Shots 2001; S. 32 – http://www.kraftfoods.de / Pressebilder; S. 32 – Verlag Fraus / Karel Brož; S. 32 – PhotoDisc, Inc.; S. 33, S. 34, S. 35 – Verlag Fraus / Karel Brož; S. 36 (oben) – http://www.igh-hd.de; S. 36 (Mitte), S. 37, S. 38, S. 41, S. 42, S. 43, S. 44 (unten 2x) – Verlag Fraus / Karel Brož; S. 44 (oben 2x) – www.photocombo.cz; S. 45, S. 47 (oben, unten links) – Verlag Fraus / Karel Brož; S. 47 (Mitte links, unten rechts) – Lutz Rohrmann; S. 49 (oben, Mitte rechts, unten Mitte, unten rechts) – www.photocombo.cz; S. 49 (unten links) – PhotoDisc, Inc.; S. 49 (Mitte links) – Verlag Fraus / Karel Brož; S. 50 (unten) – www.photocombo.cz; S. 50 (oben) – Verlag Fraus / Karel Brož; S. 52 (Mitte) – www.photoscombo.cz; S. 52 (2) – Lutz Rohrmann; S. 52 (1, 3) – Verlag Fraus / Karel Brož; S. 52 (4) – Věra Frausová; S. 53 (1) – www.photocombo.cz; S. 53 (2, 3) – Verlag Fraus / Karel Brož; S. 53 (4) – Friederike Jin; S. 54 (b, f) – PhotoDisc, Inc.; S. 54 (d, e, g) – www.photocombo.cz; S. 54 (oben, a, c, h) – Verlag Fraus / Karel Brož; S. 55 (Collage) – Milena Zbranková; S. 57 (DVD, Buch, Zeitschriften) – Lutz Rohrmann; S. 57 (MP3) – Apple, Inc.; S. 57 (Playstation) – Sony Computer Entertainment Inc.; S. 57 (Mitte), S. 58, S. 59, S. 60 (oben) – Verlag Fraus / Karel Brož; S. 60 (Mitte) – Lutz Rohrmann; S. 61 – www.photocombo.cz; S. 62 (1–5), S. 64, S. 66 – Verlag Fraus / Karel Brož; S. 68 (A, C, F) – Lutz Rohrmann; S. 68 (B) – Milena Zbranková; S. 68 (D) – Verlag Fraus / Karel Brož; S. 68 (E) – SXC / Philip MacKenzie; S. 69 (G) – www.photocombo.cz; S. 69 (H) – Romana Pešková

Für die freundliche Unterstützung bedanken sich Verlag und Autoren sowohl bei Frau Katja Damsch und Frau Burcu Kiliç als auch bei den Schülern und Schülerinnen am Internationalen Ganztagsgymnasium Leonardo da Vinci Campus in Nauen und an der Rheingau-Oberschule in Berlin-Friedenau.